COFIO CANTORION

medi 12 1998

THE WELSH IMPERIAL SINGERS

Eu teithiau
ym Mhrydain, Canada a'r Unol Daleithiau
1926 - 1939

*Their tours
of Britain, Canada and the United States
1926 - 1939*

ALUN TREVOR

Gwasg Carreg Gwalch

Argraffiad Cyntaf: Mawrth 1991

ⓗ Gwasg Carreg Gwalch

Rhif Llyfr Safonol Rhyngwladol:
0-86381-180-9

Bydd cyfran o'r elw a wneir o werthiant y gyfrol hon
yn cael ei drosglwyddo i goffrau
Eisteddfod Genedlaethol Bro Delyn 1991.

Argraffwyd a chyhoeddwyd gan Wasg Carreg Gwalch,
Capel Garmon, Llanrwst, Gwynedd.
☎ Betws-y-coed (0690) 710261

I Gantorion
a roddodd
gymaint o bleser i lawer
ac
er cof am
y rhai sydd wedi marw

To Singers
who gave
so much pleasure to so many
and
in memory of
those who have passed away

The Welsh Imperial Singers
1926 - 1939
Yn Chicago, tua 1930
In Chicago, c. 1930

Rhagair

Clywais lawer sôn am gantorion y *Welsh Imperial Singers* pan oeddwn fachgen, ond ni chefais erioed gyfle i wrando arnynt yn canu. Pleser mawr iawn i mi, felly, ydoedd cyfarfod â gŵr sy'n fab i Jabez Trevor, un o'r cantorion enwog hynny. Roedd yn amlwg ar unwaith fod Alun, mab y tenor melyslais o Dreuddyn yn Sir y Fflint, wedi trwytho ei hunan yn hanes y Cantorion hyn a fu'n diddanu'r tyrfaoedd ar hyd a lled y byd rhwng 1926 a 1939, a'i fod wedi cadw cofnod manwl o aelodaeth y côr ac o fanylion eu mynnych deithiau.

Braint arbennig i mi yw cael estyn croeso i'r llyfryn newydd hwn — llyfr sy'n tystio i grwydriadau anhygoel y trwbadwriaid cerddorol hyn a ddaeth ynghyd yn eu cotiau cochion o dan faton R. Festyn Davies. Pleser ychwanegol i mi fel Cadeirydd Pwyllgor Gwaith Eisteddfod Genedlaethol Bro Delyn a gynhelir yn yr Wyddgrug ym 1991 yw cael llunio cyflwyniad i'r llyfr, gan fod Alun Trevor, yr awdur, yn dymuno cyflwyno unrhyw elw a wneir trwy'r gwerthiant i gronfa Eisteddfod Bro Delyn. Mae'r weithred garedig hon o'i eiddo yn arbennig o addas o gofio fod ei dad, Jabez Trevor, ymhlith buddugwyr y Genedlaethol y tro diwethaf y cynhaliwyd yr Ŵyl yn hen dref Daniel Owen ym 1923.

Aled Lloyd Davies
Cadeirydd Pwyllgor Gwaith Eisteddfod
Genedlaethol Bro Delyn —
Yr Wyddgrug 1991

Foreword

When I was a boy I heard many people praising performances by the Welsh Imperial Singers, but I was never privileged to hear them singing. It gave me great pleasure recently to meet the son of one of those singers of whom I had heard a great deal — Jabez Trevor, the silver-voiced tenor from Treuddyn in Flintshire. Alun, his son, has obviously steeped himself in the history of these Gentlemen of Song, who toured between 1926 and 1939, delighting audiences both in Britian and overseas. He has maintained a detailed record of their exploits and has a store of detail and interesting anecdotes about them.

It is my privilege to write a brief word of welcome to this book which Alun Trevor has compiled. It bears testimony to the many journeys undertaken by those red-coated troubadours who sang under the baton of R. Festyn Davies. As Chairman of the Executive Committee of the Bro Delyn National Eisteddfod of Wales which is being held in Mold in 1991, I would wish to express sincere thanks to the author for his generosity in presenting all profits from the sale of this book to the Bro Delyn Eisteddfod Funds. In many ways this is also an appropriate and symbolic gesture as his father, the late Jabez Trevor, was among the premier award winners when the "National" was last held in the town of Mold in the year 1923.

Aled Lloyd Davies
Chairman of the Executive Committee of the Bro Delyn National Eisteddfod of Wales —
Mold 1991

R. Festyn Davies
1870 - 1944

Cyflwyniad

Americanwr oedd o. Yng nghanol y 20au yr oedd gweld ymwelydd â'n fferm fynyddig ni, Pen-y-wern, Treuddyn, yn yr hen Sir Fflint, yn ddigwyddiad anghyffredin iawn. Cymraeg oedd iaith ein haelwyd ni ac roedd acen y gŵr bychan trwsiadus hwn yn wahanol iawn i'r acen Saesneg oedd yn gyfarwydd inni. Roedd yn ymwelydd gweddol reolaidd — er na wyddem pam — ond cofiaf ei fod bob amser yn gwthio'i fawd i boced ei wasgod ac yn tynnu darn arian allan a'i roi inni i'w wario yn siop y pentref.

Cymro oedd R. Festyn Davies mewn gwirionedd, brodor o Drawsfynydd. Y rheswm am ei ymweliad â 'nghartref oedd ei fod yn chwilio am grŵp o ddynion i fynd ar daith ganu drwy Brydain a Gogledd America ac roedd arno angen unawdydd tenor, yn arbennig. Yr oedd fy nhad, Jabez Trevor, yn löwr ac yn gantwr adnabyddus, ac yn barod i ennill ei fara menyn drwy ganu. A dyna sut y daeth y cytundeb i fod.

Enw'r grŵp ddaeth at ei gilydd i ganu dan arweiniad R. Festyn Davies oedd *The Welsh Imperial Singers*. Mae'r llyfr hwn yn ceisio rhoi eu hanes trwy gyfrwng lluniau.

Alun Trevor

Introduction

He was American. In the mid-1920s, a visitor to our small hill farm, Pen-y-wern, Treuddyn, in the old County of Flint, was an unusual occurrence. Welsh was the language of our home, and the accent of this short, dapper man was very different from the English accents with which we were familiar. There were a number of visits — we hardly knew their purpose — but I remember that on each occasion he would delve into his waistcoat pocket, and out came a coin for us to spend in the village store.

R. Festyn Davies was in fact Welsh-born, a native of Trawsfynydd. The reason for his visit to our home was that he was recruiting a male ensemble to tour Britain and North America, and, in particular, he needed a tenor soloist. My father, Jabez Trevor, collier and well-known singer, was ambitious to sing professionally. And so the contract was agreed.

The name of the group that came together under the baton of R. Festyn Davies was The Welsh Imperial Singers. This book gives their story in pictures.

Alun Trevor

5

R. Festyn Davies

Hyfforddwyd R. Festyn Davies yn y London Guildhall School of Music, yn ddisgybl i Syr Joseph Barnby, y cyfansoddwr a'r organydd enwog yn ei ddydd. Yn 1908 ymfudodd Festyn i'r America a chyn bo hir fe'i gwelwyd yn arwain gwyliau cerddorol ledled y wlad, megis yr Ŵyl Fawr yn Stadiwm Prifysgol Stanford, California, gyda 10,000 o leisiau, chwe band llawn a chynulleidfa o 50,000.

Mae'r rhaglen yn dangos Festyn Davies yn ei wisg llwyfan: clôs pen glin, sanau sidan a chôt bol deryn frown.

R. Festyn Davies received his musical training at the London Guildhall School of Music, and was a pupil of Sir Joseph Barnby, the eminent composer and organist. In 1908 Festyn left for America, and before long he was seen conducting musical festivals throughout the country, such as the Great Festival at Stanford University Stadium, California, with 10,000 voices, accompanied by six full bands before an audience of 50,000.

The programme cover shows Festyn Davies in stage dress: knee breeches, silk stockings and brown swallow-tailed coat.

6

Eu Llun Cyntaf
1926

Their First Picture
1926

1. IFAN GWILYM JONES
   (tenor)
   Coedpoeth, Wrecsam
2. RICHARD MACKLIN
   (tenor)
   Caernarfon
3. R. FESTYN DAVIES
   (arweinydd/*conductor*)
   Trawsfynydd
4. HARRY WILLIAMS
   (tenor)
   Bethesda
5. GEORGE LLOYD ROBERTS
   (cyfeilydd/*accompanist*)
   Rhiwlas, Bangor
6. TOM LLOYD
   (bâs-bar./*bass-bar.*)
   Penbedw/*Birkenhead*
7. RICHIE GRIFFITHS
   (bâs/*bass*)
   Abermaw/*Barmouth*

8. SAM LAZARUS
   (tenor)
   Treherbert
9. TOM J. JOHN
   (bâs/*bass*)
   Tylorstown
10. WILFRED JONES
    (baritôn/*baritone*)
    Rhos, Wrecsam
11. JOHN LEWIS
    (tenor)
    Tylorstown
12. ROBERT H. WILLIAMS
    (bâs/*bass*)
    Trefriw
13. DAVID WALTER MORRIS
    (tenor)
    Llundain/*London*
14. R. T. WILLIAMS
    (bâs/*bass*)
    Penrhynside, Llandudno

15. ROBERT JAMES OWEN
    (bâs/*bass*)
    Trawsfynydd
16. OWEN R. OWEN
    (tenor)
    Trefriw
17. DAVID MORRIS
    (tenor)
    Trawsfynydd
18. JACK NEWBURY
    (bâs/*bass*)
    Abertawe/*Swansea*
19. ERNEST WILLIAMS
    (tenor)
    Treffynnon/*Holywell*
20. J. EIFION THOMAS
    (tenor)
    Bangor
21. WATKIN EDWARDS
    (tenor)
    Rhos, Wrecsam

7

Yr oedd y Cantorion yn edrych yn hardd iawn ar y llwyfan wedi'u gwisgo yn ffasiwn dechrau'r 19eg ganrif: cotiau coch bol deryn, gwasgodau brodedig, crysau â llewys llydan, a throwsusau tynn. Yn y dechrau, yr oedd 21 ohonynt, o bob rhan o Gymru, er mai dim ond 14 aeth ar y daith gyntaf i Ganada yn 1928. Rihyrsal cyntaf:
Bangor, Medi 1, 1926
Cyngerdd cyntaf:
Llangoed, Sir Fôn, Hydref 1, 1926.

The Singers looked very attractive on stage, dressed in the fashion of the early 19th century: red swallow-tailed coats, brocaded waistcoats, frilled shirts, and tight trousers. At first there were 21 of them, from all parts of Wales, but only 14 went on the first Canadian tour in 1928.
First rehearsal:
Bangor, September 1st, 1926
First concert:
Llangoed, Anglesey, October 1st, 1926

Y Cantorion yn Lerpwl
Ebrill 1927

The Singers in Liverpool
April 1927

Jabez Trevor
Tenor

Aelod o'r *Welsh Imperial Singers,* 1926-1934, a hefyd yn 1938. Teithiodd efo nhw ym Mhrydain, 1926-1928, ac yng Ngogledd America bedair gwaith. Yn Chicago, fe ofynnwyd iddo recordio y gân newydd sbon, "Dawn of Love", gyda chyfansoddwraig y gân, Margaret Ringgold, yn cyfeilio.

Yn 1928, roedd yn un o'r unawdwyr mewn darllediad ar y radio o ganeuon Cymraeg o Ddulyn. Yn y 1930au, darlledodd o stiwdio newydd y B.B.C. ym Mangor yn y gyfres "Adar Alun". Yn ystod yr Ail Rhyfel Byd, canai mewn cyngherddau a noddwyd gan Gyngor y Celfyddydau. Wedyn, am ddwy flynedd, 1943-1945, teithiodd ym Mhrydain, yn canu gyda ENSA gan gyflwyno cyngherddau mewn ffatrïoedd rhyfel.

A member of the Welsh Imperial Singers, 1926-1934, and also in 1938. He toured Britain with them during 1926-1928, and in North America four times. In Chicago, he was asked to record the brand new song, "Dawn of Love", with the composer of the song, Margaret Ringgold, as accompanist.

In 1928, he was one of the soloists in a radio broadcast of Welsh songs from Dublin. In the 1930s, he broadcast from the B.B.C.'s new studio at Bangor in the series "Adar Alun". During the Second World War, he was in concerts sponsored by the Arts Council. Then, for two years, 1943-1945, he toured Britain singing for ENSA, giving concerts in war factories.

Jabez Trevor
Tenor
1888 - 1972

RHAI O'I GANEUON:
SOME OF HIS SONGS:

"O Mistress Mine" (Quilter)
"Arise, O Sun" (Craske-Day)
"The Curtain Falls" (Guy D'Hardelot)
"Mountain Lovers" (Squire)
"Vesti la giubba" (Pagliacci) (Leoncavallo)
"Dawn of Love" (Margaret Ringgold)
"Blodwen, fy Anwylyd" (Blodwen) (Joseph Parry)
"Hen Groesffordd y Llan" (R. S. Hughes)

9

Jabez Trevor - Ei Gefndir
Ardal Treuddyn a Choedllai
yn y 1920au

Llun yn dangos Coed Talon, Pontybodkin a Choedllai yn y pellter. Mae'r rheilffordd a'r glofeydd nawr wedi diflannu.

Aeth y cerdyn post hwn o'n cartref, Pen-y-wern, Treuddyn, yn gyntaf at asiant y *Welsh Imperial Singers* yn Montreal. Oddi yno, cafodd ei ailgyfeirio at Jabez Trevor, tenor, yn cyrraedd, ymhen y rhawg, pan oedd ef yn Duncan ar Ynys Vancouver. Wedyn, bu'r cerdyn yn ei fag ar y daith yn ôl i ddwyrain Canada, croesi i'r Unol Daleithiau am ddeng mis yno, ac yna'n ôl i Ben-y-wern ar ddiwedd taith o ugain mis.

Jabez Trevor — His background The Treuddyn and Leeswood Area in the 1920s

The above picture shows Coed Talon, Pontybodkin and Leeswood in the distance. The railway and the coal mines have now disappeared.

This postcard went from our home, Pen-y-wern, Treuddyn, firstly, to the agent of the Welsh Imperial Singers in Montreal. From there it was re-addressed to Jabez

Trevor, tenor, reaching him, after much delay, in Duncan on Vancouver Island. Then it was in his bag on the journey back to eastern Canada, crossing over to the United States for ten months there, before returning to Pen-y-wern at the end of a twenty-month tour.

Gwaith Mari, y pwll glo yn Nhreuddyn, lle roedd Jabez Trevor yn lôwr, 1914 - 1926
The Mari Colliery, Treuddyn, where Jabez Trevor was a collier, 1914 - 1926

Coedllai ar Ddechrau'r Ganrif

Leeswood at the beginning of the century

Coedllai adeg y Rhyfel Byd Cyntaf
Leeswood during the First World War

Jabez Trevor
1914

Ffurfiwyd Côr Meibion Coedllai yn 1909 gan T. G. Jones. O dan ddylanwad T. G. Jones, cychwynnodd Jabez Trevor ei yrfa ganu: fel aelod o'r côr, unawdydd, ac enillydd mewn eisteddfodau lleol a'r Eisteddfod Genedlaethol. Roedd yn ddisgybl i'r athro canu, Wilfrid Jones, Wrecsam.

The headmaster of the Council School, Leeswood, near Mold, was T. G. Jones. (In the photograph, the school is on the left). One of his pupils was Jabez Trevor. In 1902, Jabez Trevor went to work in the coal mine, at the age of 14. He joined the Coed Talon Silver Band for a time, playing the trombone.

Prifathro Ysgol y Cyngor, Coedllai, ger Yr Wyddgrug, oedd T. G. Jones. (Yn y llun, mae'r Ysgol ar y chwith). Un o'i ddisgyblion oedd Jabez Trevor. Aeth Jabez Trevor i weithio yn y pwll glo yn 1902 pan oedd yn 14 oed. Ymunodd am sbel â Band Arian Coed Talon, gan ganu'r trombôn.

The Leeswood Male Voice Choir was formed in 1909 by T. G. Jones. Under his influence Jabez Trevor began his singing career: as a choir member, soloist, and winner at local eisteddfodau and the National Eisteddfod. He was a pupil of the teacher of singing, Wilfrid Jones, Wrexham.

Cantorion Rhangan Treuddyn 1914

Treuddyn Glee Singers 1914

Rhai adnabyddus ym myd y canu:
Rhes ôl (o'r chwith):

1af   Y Parchedig John Owen (1862-1918), ficer poblogaidd Treuddyn. Roedd ganddo gôr eglwys rhagorol.

5ed   Jesse Roberts, y baritôn adnabyddus yn y Tridegau.

Rhes ganol (o'r chwith):

1af   Alys Gordon. Roedd hi a'i gŵr, Trevor Evans, ARCO, LRAM, yn athrawon piano yn ardal Wrecsam. Hefyd, roeddynt yn gyfeilyddion Côr Cymysg Broughton (Wrecsam).

4ydd   Jabez Trevor, tenor.

6ed   Caradog Hayes, athro canu yn Ysgol Coed Talon.

Some well-known names in the world of singing:

Back row (from the left):

1st   The Rev. John Owen (1862-1918), Treuddyn's popular vicar. He had an excellent church choir.

5th   Jesse Roberts, the well-known baritone of the Thirties.

Middle row (from the left):

1st   Alys Gordon. She and her husband, Trevor Evans, ARCO, LRAM, were teachers of the piano in the Wrexham district. They were also the accompanists of the Broughton (Wrexham) Mixed Choir.

4th   Jabez Trevor, tenor.

6th   Caradog Hayes, teacher of singing at Coed Talon School.

Arweinydd/*Conductor*: E. W. Williams

12

Eisteddfod Genedlaethol
Yr Wyddgrug 1923

National Eisteddfod
Mold 1923

Enillwyr y ddeuawd tenor a baritôn	***Winners of the duet tenor and baritone***
John Foulkes, bariton; Rhesycae,	*John Foulkes, Baritone; of Rhesycae,*
Treffynnon (ar y chwith)	*Holywell (on the left)*
Jabez Trevor, tenor;	*Jabez Trevor, tenor; of Treuddyn, Mold*
Treuddyn, Yr Wyddgrug	

Caneuon Cystadleuol

(a) "Gwyll a Gwawl"(Bryceson Trehearne)

(b) "For so hath the Lord Himself commanded" (Mendelssohn)

Ychydig amser ar ôl hyn, ymunodd Jabez Trevor â'r Welsh Imperial Singers fel unawdydd tenor.

The Test Pieces

(a) "Gwyll a Gwawl"(Bryceson Trehearne)

(b) "For so hath the Lord Himself commanded" (Mendelssohn)

Shortly after this Jabez Trevor joined the Welsh Imperial Singers as a tenor soloist.

Ulam Hughes
Bas/*Bass*

Ei gartref oedd Uwch-y-Mynydd, Y Ffridd, ym mhlwyf Llanfynydd, ger Wrecsam. Roedd yn aelod o Gôr Meibion y Ffridd, ac yn gweithio ar y fferm Rhos Uchaf. Perchennog Rhos Uchaf oedd Mr C. P. Hunter a oedd yn gysylltiedig â Hunter's Tea Stores. Roedd ganddo awyren a maes awyr ar y fferm. Llywydd cyngerdd yn y Pafiliwn, Y Ffridd, Hydref 1926, oedd Mr Hunter. Y ddau unawdydd oedd Ulam Hughes, bâs, a Jabez Trevor, tenor — eu cyngerdd olaf cyn iddynt ymuno â'r *Welsh Imperial Singers*. Yn y cyngerdd hwn, rhoddwyd anrhegion i'r ddau gantor gan ferch y llywydd ar ran corau meibion Coedllai a'r Ffridd.

His home was Uwch-y-Mynydd, Ffrith, in the parish of Llanfynydd, near Wrexham. He was a member of the Ffrith Male Voice Choir and worked on the farm Rhos Uchaf. The owner of the farm was Mr C. P. Hunter, who was connected with Hunter's Tea Stores. He owned an aeroplane and had an airfield on the farm. He presided over a concert at The Ffrith Pavilion in October, 1926. The two soloists were Ulam Hughes, bass, and Jabez Trevor, tenor — their last concert before joining The Welsh Imperial Singers. At this concert gifts were made to the two singers by Miss Hunter on behalf of the male voice choirs of Leeswood and Ffrith.

Ulam Hughes
Bas/*bass*
1902 - 1971
Aelod o'r Welsh Imperial Singers:
Member of the Welsh Imperial Singers:
1926 - 1933

Rhai o'i ganeuon:
Some of his songs:
"Neptune" (Gordon)
"Inchape Bell" (R. S. Hughes)
"The Recruit" (E. Longstaffe)
"After" (Arthur Meale)

Mr Hunter a'i awyren
Mr Hunter and his aeroplane

14

Ernest Williams
Tenor

Ernest Williams
Tenor
1904 - 1960
Treffynnon/*Holywell*

Aelod, 1926 - 1928,
yn teithio ym Mhrydain yn unig
Member, 1926 - 1928, touring Britain only

Chester Street Congregational Church,
Wrexham.

Wednesday, September 30th, 1925

Grand CONCERT

ARRANGED BY

WILFRID JONES, ESQ.

Artistes:

Soprano - - Miss MARY TAYLOR, L.R.A.M., Bangor

Contralto - Miss BLODWEN HUGHES, L.R.A.M.,
Bournemouth

Tenor - - Mr. ERNEST WILLIAMS, Holywell
(1st Prize Winner, National Eisteddfod, 1925.

'Cello - Mr. F. H. HAGUE, Liverpool

Organist - - Mr. JOHN WILLIAMS, F.R.C.O., A.R.C.M.

Programme, 2d.

Cyngerdd yn Wrecsam, 1925, efo Ernest Williams, tenor. Roedd Wilfrid Jones, yr athro canu, fel rhai eraill yng Nghymru, yn gyfrifol am gymeradwyo cantorion lleol a oedd yn adnabyddus, ac yn awyddus i ymuno â'r *Welsh Imperial Singers.*

A concert in Wrexham, 1925, with Ernest Williams, tenor. Wilfrid Jones, the singing teacher, like others throughout Wales, was responsible for recommending local singers who were well-known, and ambitious to join the Welsh Imperial Singers.

Rhai o'i Ganeuon:
Some of his Songs:
"Ynys y Plant" (E. T. Davies)
"The English Rose" (Edw. German)
"Vain is Beauty" (Arne)

15

Rhaglen Gynnar
1926 - 1928

An Early Programme
1926 - 1928

Dyma un o dair (o leiaf) rhaglen a ddefnyddiwyd ym Mhrydain ym mlynyddoedd cynnar y *Welsh Imperial Singers*.

Here is one of at least three programmes that were used in Britain in the early years of the Welsh Imperial Singers.

◄ PROGRAMME ►

Part I.

1. (a) "March of the Men of Harlech"   *Welsh Air*
   (b) "Dafydd y Garreg Wen"   *Welsh Air*
       (Arr. by *Northcote*)
2. "O Isis and Osiris" (*Magic Flute*)   -   *Mozart*
   Jack Newbury.
   or "Rock of Ages"   *J. Griffith Thomas*
   Richie Griffiths.
3. (a) "The Assyrian came down"   -   *Cyril Jenkins*
   (b) "Myfanwy"   -   -   -   *Parry*
4. *Duett* "Watchman, What of the Night?" *Sargeant*
   Sam Lazarus and Wilfred Jones.
   or "Plant y Cedyrn"   -   -   *Parry*
   J. Eivion Thomas and Richie Griffiths.
5. "Ynys y Plant"   -   *E. T. Davies*
   Ernest Williams.
   or "The Curtain Falls"   -   *Guy D'Hardelot*
   Jabez Trevor.
6. (a) "The Lord is my Shepherd"   -   *Schubert*
   (b) "Hymn to Apollo"   -   *Gounod*

FIVE MINUTES INTERVAL.

Part II.

7. "The Lost Chord"   -   -   -   *Sullivan*
   Incidental Solo: **R. T. Williams.**
8. "Hear me! Ye Winds and
       Waves" (*Scipio*)   -   *Handel*
   Tom Lloyd.
   or "Deeper and Deeper Still" (*Jeptha*) - *Handel*
   Harry Williams.
9. "Fallen Heroes"   -   *Cyril Jenkins*
   Incidental Solos: **Jack Lewis & Ernest Williams.**
10. *Duett*   -   "When I Survey"   -   *Jude*
    R. T. Williams and Jack Newbury.
11. "Cymru, fy Ngwlad"   -   *Pughe Evans*
    Bob Williams.
    or "Credo" (*From Othello*)   -   *Verdi*
    Wilfred Jones.
12. "An Evening Pastorale"   -   *Wilfred Shaw*
    Incidental Solo: **Watkin Edwards.**

    "HEN WLAD FY NHADAU."
    "GOD SAVE THE KING."

Grand Piano supplied by CRANE & SONS, Limited.

Llundain
1926 - 1928

Ymddangosodd y *Welsh Imperial Singers* yn Llundain am y tro cyntaf yn yr Aeolian Hall, New Bond Street, ar Hydref 12, 1926. Ym mis Mai, 1927, roeddynt yn y Plaza, yn ymddangos dair gwaith bob dydd am wythnos. Canodd y Cantorion ganeuon Cymraeg mewn Gwledd Gŵyl Dewi, 1928, yn y Connaught Rooms, ym mhresenoldeb Dug Efrog (yn ddiweddarach Brenin George VI, a thad y Frenhines Elizabeth II). Dywedodd wrthynt: "Rydych yn rhoi enw da i Gymru."

Aeth y Cantorion hefyd i ganu yng nghartref y cyn-Brif Weinidog David Lloyd George, yn Churt, Surrey.

WELSH IMPERIAL SINGERS.
1928
PRESENTED TO THE DUKE OF YORK.

FROM OUR OWN CORRESPONDENT.

LONDON, Thursday.

The Duke of York, who was the chief guest at the St. David's Day banquet to-night, paid a warm compliment to the famous Welsh Imperial Singers, who under the conductorship of Mr. F. Festyn Davies are leaving shortly on an extended tour in America.

During the evening the party sang Welsh airs, and at the request of the Duke also sang "Ar Hyd y Nos."

At the close of the banquet, the Duke of York asked for the conductor.

"I was really charmed with your singing," remarked his Royal Highness, "and I consider you are a wonderful party. I wish you and each of them a successful and happy tour. You are a credit to Wales."

The Duke afterwards made inquiries about the prospective tour, and at his request each member of the party was presented.

The Welsh Imperial Singers are a body of trained soloists, and their singing greatly impressed, and won for them repeated applause.

London
1926 - 1928

The Welsh Imperial Singers appeared in London for the first time at the Aeolian Hall, New Bond Street, on October 12, 1926. In May, 1927, they were at the Plaza appearing three times daily for a week. In a St. David's Day Banquet in 1928 in the Connaught Rooms, the Singers sang Welsh songs in the presence of the Duke of York (later, King George VI, and father of Queen Elizabeth II). He said to them: "You are a credit to Wales."

The Singers also went to sing at the home of the ex-Prime Minister, David Lloyd George, in Churt, Surrey.

Y Rhyl
1926 - 1928

Rhyl
1926 - 1928

Y cyngerdd cyntaf yn y Rhyl oedd ar nos Sul, Tachwedd 14, 1926. Hwn oedd yr unfed cyngerdd ar hugain er pan ffurfiwyd y côr. Yn ystod cyfnod 1926-1928 aethant yn ôl bum gwaith i'r dref hon ar lan y môr, i ganu yn y Pafiliwn. Aethant yno hefyd yn 1933.

Am sbel, y Rhyl oedd eu pencadlys, gan aros yn y Lyric Hotel. Oddi yno teithient mewn siarabang i ganu yn Rhuddlan, Dinbych, Prestatyn, Gronant, Trelawnyd a Mostyn.

The first concert in Rhyl was on a Sunday evening, November 14, 1926. This was the twenty-first concert since the formation of the chorus. During 1926-1928 they went back five times to this seaside town to sing in The Pavilion. They also went in 1933.

For a short time, Rhyl was their headquarters, where they stayed at the Lyric Hotel. From there they went by charabanc to sing in Rhuddlan, Denbigh, Prestatyn, Gronant, Newmarket and Mostyn.

Y Rhyl: y traeth a'r Pafiliwn
Rhyl: the beach and The Pavilion

Jack Lewis
Tenor

Un o Tylorstown oedd y tenor Jack Lewis. Roedd yn aelod o'r Cantorion, yn teithio ym Mhrydain, 1926-1928. Hefyd, aeth ar y daith gyntaf i Ganada, 1928-1929.

Yn y llun, mae Jack Lewis yng nghanol y rhes flaen. Gyda fo, o'r chwith, mae Ernest Williams (tenor), R. J. Williams (bas) (tu ôl) a Jabez Trevor (tenor). Tynnwyd y llun yn y Rhyl, Medi 1927, pan oedd y Cantorion yn canu yno.

Jack Lewis
Tenor

The tenor Jack Lewis was from Tylorstown. He was a member of the Singers, touring Britain during 1926-1928. Also he undertook the first tour of Canada, 1928-1929.

In the picture, Jack Lewis is centre front. With him, from the left, are Ernest Williams (tenor), R. J. Williams (bass) (at the back) and Jabez Trevor (tenor). The picture was taken in Rhyl, September 1927, when the Singers were performing there.

Rhai o'i ganeuon:
Some of his songs:
"Until" (Sanderson)
"Baner ein Gwlad" (Dr Parry)
"The Last Watch" (Pinsuti)

Ardal Yr Wyddgurg
1926 - 1927

Canodd y *Welsh Imperial Singers* yn yr Wyddgrug am y tro cyntaf ar Dachwedd 18, 1926, ac yr oedd ymweliad ar nos Sul yn y mis canlynol. Roeddynt yno yn y 1930au yn rhoi cyngerdd yn y Neuadd Gynull (ar y chwith yn y llun) ac hefyd yn Narlundy'r Savoy.

Roedd cyngherddau eraill ym Mwcle (Neuadd y Dref), Shotton, Cei Conna ("tyrfa ardderchog"), Rhosesmor ("te yn y capel"), Bagillt a Threffynnon. Ar ôl canu yn Nhreuddyn am yr ail dro ar Hydref 25, 1927, roeddynt wedi rhoi 251 o gyngherddau mewn llai na 13 mis er y cyngerdd cyntaf ar Hydref 1, 1926.

The Mold District
1926 - 1927

The Welsh Imperial Singers sang in Mold for the first time on November 18, 1926, and there was a visit one Sunday evening the following month. They were there again in the 1930s giving concerts in The Assembly Hall (on the left in the picture) and also in the Savoy Cinema.

There were other concerts in Buckley (Town Hall), Shotton, Connah's Quay ("excellent crowd"), Rhosesmor ("tea at the chapel"), Bagillt and Holywell. After singing in Treuddyn for the second time on October 25, 1927, they had given 251 concerts in less than 13 months since their first concert on October 1, 1926.

49899. MOLD. HIGH STREET.

Bae Colwyn
1926 - 1932

Colwyn Bay
1926 - 1932

Roedd eu cyngerdd cyntaf yn y Pafiliwn, Bae Colwyn, ar nos Sadwrn, Rhagfyr 18, 1926. Yn y flwyddyn ganlynol, talwyd dau ymweliad arall â'r dref — un ohonynt ar Ddydd Gwener y Groglith. Ar ôl bod i ffwrdd yng Ngogledd America, aethant ddwywaith eto i Fae Colwyn yn ystod y tridegau. Mae Hugh Madog Jones, Hen Golwyn, yn cofio eu clywed pan oedd yn 17 oed, a gadawsant argraff arbennig iawn arno; ac mae ganddo recordiadau o un o'r Cantorion, Henryd Jones (bariton).

Llandudno oedd pencadlys y Cantorion y rhan amlaf pan oeddynt yng ngogledd Cymru. Oddi yno aethant i ganu yn Abergele, Rhuthun, Llangernyw, Llansannan a Llanfair Talhaearn.

Their first concert in the Colwyn Bay Pavilion was on a Saturday evening, December 18, 1926. In the following year, there were two visits, one on the Good Friday. After they had been in North America, they returned twice to Colwyn Bay in the 1930s. Hugh Madog Jones of Old Colwyn remembers hearing them when he was 17 years old, and they left a very strong impression on him. He has recordings of one of the Singers, Henryd Jones, baritone.

Llandudno was the headquarters of the Singers for most of their time in North Wales. From there they went to sing at Abergele, Ruthin, Llangernyw, Llansannan and Llanfair Talhaearn.

Theatr Argyle
Penbedw

Wythnos y Nadolig, 1926
Dwywaith pob Nos

Mae'r rhaglen yn enwi aelodau'r *Welsh Imperial Singers* ar ddiwedd 1926. Mae Megan Rees Thomas (anti Wil Cwac Cwac yn y gyfres i blant ar y teledu) ac yn wreiddiol o Benbedw, yn cofio'r argraff liwgar a wnaethant arni wrth eu gweld o'r Dress Circle, 1/10d (9c). Daethant yn ôl i'r Argyle ym 1927 a 1938.

Argyle Theatre
Birkenhead

Christmas Week, 1926
Twice Nightly

The programme lists the members of the Welsh Imperial Singers at the end of 1926. Birkenhead-born Megan Rees Thomas (Wil Cwac Cwac's aunt in the children's TV series) remembers the impact they made when she heard them from the Dress Circle, 1/10d (9p). They returned again to the Argyle in 1927 and 1938.

ARGYLE
Theatre, Birkenhead.

Sole Proprietor and Manager _ _ _ _ _ _ _ _ _ _ _ _ _ _ _ D. J. CLARKE
Acting Manager _ H. O'NEILL

PROGRAMME
MONDAY, DEC. 20, 1926.
And Twice Nightly during the Week
at 6-40 and 8-50 o'clock.

(Christmas Night excepted)

1 OVERTURE
March—"The Great Big David"...*Lotter*
Musical Director—Mr. CECIL MONTAGUE.

2 FRED FITZROY
A Trapeze, Rope Climbing and Thrilling Loop
the Loop Speciality.

This Programme is subject to alteration
at the discretion of the Management.

3 REJANE & BETTY
In Songs and Eccentric Dances.

4 HARRY O'DONOVAN
The Chatty Hibernian.

5 SELECTION—
"Christmas Medley"...*Arrd. by Debroy Somers.*

6 PAUL VANDY
The Famous Juggler and Humorous Trickster.

7 The WELSH IMPERIAL SINGERS
Under the Direction of R. FESTYN DAVIES
TWENTY-TWO OF WALES' FINEST ARTISTES
EACH MEMBER A NOTED SOLOIST.
Winners of over 3000 Prizes on a World's Tour
R. FESTYN DAVIES, Director, San Francisco
GEORGE LLOYD ROBERTS, Pianist, Holyhead
TENOR—WATKIN EDWARDS, Rhos
IFAN GWILYM JONES, Coedpoeth
DAVID MORRIS, Trawsfynydd
OWEN R. OWEN, Trefriw
HARRY WILLIAMS, Bethesda
EIFON THOMAS, Bangor
JOHN LEWIS, Tylerstown
JABEZ TREVOR, Mold
DAVID WALTER MORRIS, London
ERNEST WILLIAMS, Holywell
RICHARD MACKLIN, Caernerfon
SAMUEL LAZARUS, Treherbert

BASS—TOM LLOYD, Birkenhead
JACK NEWBURY, Swansea
TOM J. JOHN, Tylerstown
RICHIE GRIFFITH, Barmouth
ROBERT J. WILLIAMS, Rhosgadfan
RICHD. T. WILLIAMS, Llandudno
WILFRED JONES, Rhos
ROBERT H. WILLIAMS, Trefriw

8 TOOLE & MAY
In a Novel Singing, Dancing and Paper Tearing Act.

9 The FOUR MARCAS
Wonderful Herculean Equilibrists and
Speciality Ring Act.

The Pianos used on the Stage are supplied
by Weston & Co., Music Warehouse, 107 & 109
Grange Rd., Birkenhead

Borough Justices' Rules and Regulations.

In accordance with the requirements of the Birkenhead Borough
Justices:—

(a) The public may leave at the end of the Performance by all
the exits, and all exit doors must at that time be open.

(b) All gangways, passages, and staircases must be kept entirely
free from any obstructions.

(c) Persons must not be permitted to stand or sit in any of the
gangways.

(d) The safety curtain must be lowered and raised once
immediately before the commencement of each performance so
as to ensure its being in proper working order.

22

Ifan Gwilym Jones
Tenor

Coedpoeth, ger Wrecsam, oedd cartref y tenor Ifan Gwilym Jones. Mae ei enw ar y rhaglen a ddefnyddiwyd yn y flwyddyn 1927 yn Harrogate a mannau eraill. Roedd yn aelod o'r *Welsh Imperial Singers* yn ystod 1926-1928, gan deithio ym Mhrydain yn unig.

Coedpoeth, near Wrexham, was the home of the tenor Ifan Gwilym Jones. His name is on the programme in 1927 in Harrogate and other places. He was a member of the Welsh Imperial Singers during 1926-1928, touring Britain only.

Ifan Gwilym Jones
Tenor
Yn y fyddin adeg y Rhyfel Byd Cyntaf
In the army during the First World War

The Choruses, Part-Songs, Solos and Duetts to be rendered WILL BE INDICATED BY A NUMBER — FROM THE PLATFORM.

CHORUSES, PART-SONGS, Etc.

1	" March of the Men of Harlech "	John Guard
2	" Come Back to Erin "	arr. by P. E. Fletcher
3	" The Lost Chord "	arr. by J. H. Brewer
4	" Fallen Heroes "	Cyril Jenkins
5	" War Song of the Saracens "	Granville Bantock
6	" The Song of the Armada "	Chudleigh-Candish
7	" The Assyrian Came Down "	Cyril Jenkins
8	" An Evening's Pastorale "	Wilfred Shaw
9	" Hymn to Apollo "	Gounod-Fletcher
10	" The Lord is My Shepherd "	Schubert
11	" Killarney "	Balfe
12	" Night and Day "	Alfred Dard
13	" Myfanwy "	Dr. Parry
14	" Crossing the Plain "	T. Maldwyn Price
15	" The Boys of the Old Brigade "	J. A. Parks
16	" Y Delyn Aur "	D. Pughe Evans
17	" Call Me Back to Old Virginny "	W. D. Perkins
18	" Dafydd y Garreg Wen "	S. Northcote
19	" In Absence "	Dudley Buck
20	" The Song of the Jolly Roger "	Chudleigh-Candish

SOLOS.

ERNEST WILLIAMS (Tenor).

21	" Yoys y Plant "	E. T. Davies
22	" The English Rose "	Ed. German
23	" Vain is Beauty "	Arne

HARRY WILLIAMS (Tenor).

24	" The Hallowed Hour "	Haydn Wood
25	" Blodwen fy Anwylyd "	Dr. Parry

JABEZ TREVOR (Tenor).

26	" Wanton Gales "	Kearton
27	" Hen Groesffordd y Llan "	R. S. Hughes

SAM LAZARUS (Tenor).

28	" Lorraine "	Sanderson
29	" The Last Watch "	Pinsuti

EIPION THOMAS (Tenor).

30	" Mountain Lovers "	W. H. Squire
31	" Gwlad y Bryniau "	M. W. Griffith

RICHARD MACKLIN (Tenor).

32	" Beside You "	Sidwell Jones
33	" Y Bugail "	Wilfred Jones

WATKIN EDWARDS (Tenor).

34	" If I should Call "	Tennent
35	" Sigh no more Ladies ! "	Keel

JACK LEWIS (Tenor).

36	" Until "	Sanderson
37	" Baner ein Gwlad "	Dr. Parry

TOM LLOYD (Bass).

38	" Y Milwr Clwyfedig "	R. S. Hughes
39	" Hear me : Ye winds and waves "	Handel
40	" The Bandolero "	Stuart

JACK NEWBURY (Bass).

41	" O Isis and Osiris " (Magic Flute)	Mozart
42	" In Hallowed Dwellings " (Magic Flute)	Mozart
43	" Asleep in the Deep "	Petrie

WILFRED JONES (Baritone).

44	" Credo " (Othello)	Verdi
45	" Eri Tu " (Un ballo in Maschero)	Verdi

BOB WILLIAMS (Baritone).

46	" Yr Ornest "	Wm. Davies
47	" A Song of Thanksgiving "	Allitsen

R. T. WILLIAMS (Baritone).

48	" It is Enough " (Elijah)	Mendelssohn
49	" Y Marchog "	Dr. Parry

RICHIE GRIFFITH (Baritone).

50	" Rock of Ages "	J. G. Thomas
51	" Invictus "	Bruno Huhn

EXTRA SOLOS.

TOM J. JOHN (Bass).

52	" Drake Goes West "	Sanderson
53	" The Road to Anywhere "	Parry

ROBERT J. WILLIAMS (Bass).

54	" Y Milwr Clwyfedig "	R. S. Hughes

GWILYM JONES (Tenor).

55	" Nirvana "	S. Adams

DUETTS.

ERNEST WILLIAMS & TOM LLOYD.

56	" Go Baffled Coward " (Samson)	Hande
57	" Pant y Cedryn "	Dr. Parry
58	" Be Mine the Delight " (Faust)	Gounod

SAM LAZARUS & WILFRED JONES.

59	" The Moon has raised "	Benedict
60	" Flow, Gently Deva "	Parry

R. T. WILLIAMS & JACK NEWBURY.

61	" When I survey "	Jude
62	" Vale " (Farewell)	Russell

Cyngherddau yn Wrecsam a'r Cylch	Concerts in the Wrexham District
Daethant i ganu yn Wrecsam am y tro cyntaf ym mis Ionawr 1927, am wythnos yn y Victoria Hall, ac yna am wythnos arall yng Ngorffennaf, 1929. Roeddynt hefyd yn y Majestic ym 1938. Cynhaliwyd cyngherddau eraill yng Nghoedpoeth, Moss, Cefn Mawr, Y Ffridd, Llai a Rhos.	*They came to sing in Wrexham for the first time in January 1927, for a week at the Victoria Hall, and for another week in July 1929. They were also at the Majestic in 1938. There were other concerts in Coedpoeth, Moss, Cefn Mawr, Ffrith, Llay and Rhos.*

24

R. T. Williams
Bariton

R. T. Williams
Baritone

Brodor o Benrhynside, ger Llandudno, yw'r bariton R. T. Williams. Teithiodd efo'r Cantorion ym Mhrydain am ddwy flynedd, 1926-1928. Wedyn, o dan yr enw "Harcourt Meadows", roedd ei yrfa broffesiynol ym myd opereta ("Student Prince", "Rose Marie" ac yn y blaen). Canodd efo'r soprano Isobel Baillie. Yn yr 1980au, bu'n sgwrsio gyda Gwyn Erfyl ar y teledu.

The baritone R. T. Williams is a native of Penrhynside, near Llandudno. He toured Britain with the Singers during 1926-1928. Then, under the name 'Harcourt Meadows', his professional singing career was in the world of operetta ("Student Prince", "Rose Marie" etc.). He sang with the famous soprano Isobel Baillie. In the 1980s, he was interviewed on television by Gwyn Erfyl.

Rhai o'i ganeuon:
Some of his songs:
"It is Enough" (Elijah) (Mendelssohn)
"Y Marchog" (Dr Parry)
"Revenge, Timotheus Cries"
(Alexander's Feast) (Handel)
"Sombre Woods" (Lully)
"Friend" (Clara Novello Davies)

Teithio yng Nghymru
1926 - 1928

Canodd y Cantorion mewn mwy na chant o lefydd yng Nghymru pan oeddynt yn teithio ym Mhrydain, 1926-1928. Aethant yn ôl i wneud dau neu dri o ymddangosiadau mewn llawer lle. Mewn mannau fel Llandudno, Bae Colwyn a Dinbych-y-pysgod roeddynt yno am wythnos o leiaf. Mae'r Parchedig Aneurin O. Edwards (Prestatyn) yn cofio'r Cantorion a'u gwisgoedd lliwgar ar y llwyfan yn y Coliseum, Aberystwyth, pan oedd ef yn fyfyriwr yn y Coleg Diwinyddol. Yng Nghricieth ar Ebrill 19, 1927, llywyddwyd y cyngerdd gan y cyn-Brif Weinidog, David Lloyd George, ei hun. Dywedodd: "Cwmni cantorion gwahanol yw hwn. Roedd yr hen alawon yn newydd heno."

Touring Wales
1926 - 1928

The Singers performed in over a hundred places in Wales when they toured Britain during 1926-1928. They went back to make two or three appearances in many places. In resorts like Llandudno, Colwyn Bay and Tenby they were there for at least a week. The Reverend Aneurin O. Edwards (Prestatyn) remembers the Singers and their colourful stage dress at the Coliseum, Aberystwyth, when he was a student at the Divinity College. In Cricieth on April 19, 1927, the concert was presided over by the ex-Prime Minister, David Lloyd George, himself. "This band of singers is different," he said. "Old melodies were new tonight."

Caerwys
Hydref 11, 1927

Aeth y Cantorion un prynhawn i ddifyrru Syr John a'r Fonesig Herbert Lewis (gweler y lluniau isod) yn eu cartref, Plas Penucha, Caerwys, yn yr hen Sir Fflint. Syr John Herbert Lewis oedd cadeirydd cyntaf y Cyngor Sir yn 1889; ac ef hefyd oedd cyn-Aelod Seneddol dros Sir y Fflint.

Yr oedd y Fonesig Herbert Lewis yn ffigur pwysig yng Nghymdeithas Alawon Gwerin Cymru o'r dyddiau cynnar. Bu'n gasglydd arloesol, ac yn ei thro yn Ysgrifennydd a Llywydd y Gymdeithas. Roedd gan y Cantorion, wrth gwrs, alawon gwerin yn eu repertoire.

Caerwys
October 11, 1927

One afternoon the Singers went to entertain Sir John and Lady Herbert Lewis (see photographs) at their home, Plas Penucha, Caerwys, in the old County of Flint. Sir John Herbert Lewis was the first chairman of the Flintshire County Council in 1889; he had also been Member of Parliament for Flintshire.

Lady Herbert Lewis was an important figure in the Welsh Folk-Song Society from its early days. She was a pioneer in the collection of folk-songs, and eventually became the Society's Secretary and President. The Singers, of course, had Welsh folk-songs in their repertoire.

Teithio yn Lloegr
1926-1928

Aeth y *Welsh Imperial Singers* i Loegr i ganu mewn llawer man — Bro'r Llynnoedd, Gorllewin Lloegr, Stratford-upon-Avon, Caer, Southampton. . . Roeddynt yn canu am wythnos yn yr Hippodrome yn Birmingham, a hefyd ym Manceinion (Siop Lewis's). Yn ystod eu hwythnos yn yr Hippodrome, Sheffield, cawsant dderbyniad da.

Mewn cyngerdd yn yr Amwythig (y Royal County Theatre) dywedodd yr arweinydd mai yn Awstralia, pan oedd ef yno yn canu efo'r D'Oyly Carte Opera, y cafodd y syniad o ffurfio'r Cantorion fel côr i gynrychioli Cymru gyfan.

Clawr rhaglen cyngherddau yn Harrogate yw hwn.

Touring England
1926-1928

The Welsh Imperial Singers sang in many places in England — the Lake District, the West of England, Stratford-upon-Avon, Chester, Southampton. . . They were at the Birmingham Hippodrome for a week, and also in Manchester (Lewis's Store). During their week at the Hippodrome, Sheffield, they received a great reception.

At a concert at the Royal County Theatre, Shrewsbury, the conductor stated that it was while he was in Australia, singing with the D'Oyly Carte Opera, that he had had the idea of forming the Singers as a professional chorus representative of the whole of Wales.

This is the cover of the programme for the concerts in Harrogate.

Tom J. John
Bas

Tom J. John
Bass

Roedd y bas Tom J. John yn aelod o'r *Welsh Imperial Singers* o'r dechrau ym 1926. Teithiodd efo nhw yng ngwledydd Prydain, 1926-1928. Hefyd, aeth ar y daith gyntaf i Ganada, 1928-1929. Roedd ei gartref yn Tylorstown yn ne Cymru.

The bass Tom J. John from Tylorstown, S. Wales, was a member of the Welsh Imperial Singers from the beginning in 1926. He toured Britain with them during 1926-1928, and was on the first Canadian tour, 1928-1929.

Rhai o'i Ganeuon:
Some of his Songs:
"Hybreas the Cretan" (Elliot)
"Hear Me ye Winds and Waves" (Scipio)
(Handel)

Lerpwl
Ebrill 1927 - Medi 1928

Aeth y Cantorion i gyflwyno wythnos o ganu yn Lewis's Stores, Lerpwl, yn Ebrill 1927, gan berfformio ddwywaith bob dydd. Roedd gan *Y Brython* dair colofn lawn o adroddiad ardderchog ar eu canu ar adeg yr "Wythnos Gymreig yn Siop Lewis": "Canent bawb heb yr un copi.. . . . .dyma'r parti meibion perffeithiaf ei ddisgyblaeth a mwyaf swynol ei ganu sydd yng Nghymru. . . . . .nid oes eu hafal ar y maes. . . . . .y maent yn glod ac anrhydedd i'w gwlad a'u cenedl."

Canodd y Cantorion yn y Picton Hall am wythnos ym Medi 1927, fel mae'r hysbyslen yma'n dangos. Roedd cyngerdd yn y Central Hall ar Fedi 13, 1928, y noswaith cyn iddynt hwylio o Lerpwl i Ganada ar y llong *S.S. Laurentic*.

Liverpool
April 1927 - September 1928

In April 1927 the Singers performed twice daily for a week in Lewis's Stores, Liverpool. The Welsh language newspaper, Y Brython, devoted three full columns to a report on their singing at this "Lewis's Welsh Week", highly praising their performances: "They were all singing without a single copy.. . . . .this is the most perfectly disciplined male chorus, and the most attractive singing in Wales. . . . . .they do not have their equal. . . . . .they are a credit and an honour to their country and nation."

The Singers performed in the Picton Hall for a week in September 1927, as this handbill shows. There was a concert in the Central Hall on September 13, 1928, the evening before they set sail from Liverpool to Canada on the S.S. Laurentic.

30

Hysbysebion yn *Y Cerddor Newydd* Mawrth 1928	Advertisements in *The Welsh Music Magazine* March 1928

Yng ngwanwyn 1928, roedd yr arweinydd i ffwrdd yng Nghanada am rai wythnosau yn paratoi'r trefniadau ar gyfer y daith gyntaf yn y wlad honno. Felly roedd y cantorion, fel unigolion, yn rhydd am sbel i edrych am gyngherddau eu hunain. Dyma ddwy hysbyseb a oedd yn *Y Cerddor Newydd*, Mawrth 1928.

Ni chytunodd yr holl 21 yn y grŵp fynd i Ganada. Pedwar ar ddeg oedd y nifer yn y parti a hwyliodd allan o Lerpwl ym mis Medi.

In the spring of 1928, the conductor was away in Canada for some weeks making arrangements for their first tour there. Therefore the singers, as individuals, were free to look for concert engagements for themselves. Here are two advertisements that were in Y Cerddor Newydd (The Welsh Music Magazine), March, 1928.

Not all of the 21 in the group agreed to go to Canada. Fourteen were in the party that sailed from Liverpool in September.

31

Bournemouth
Gorffennaf 30, 1928

"Yn sicr, rhaid i ni wneud argraff dda yn Bournemouth. . ." — allan o lythyr oddi wrth yr arweinydd at Jabez Trevor (tenor).

Ar ôl rhoi cyngherddau yn Clacton, Cromer a mannau eraill yn nwyrain Lloegr, aethant i Bournemouth. Roedd eu trên yn hwyr ac o ganlyniad cyrhaeddasant yn rhy hwyr i berfformio yn y prynhawn. Er hynny, yr oedd y ddau gyngerdd nos yn y Winter Gardens yn llwyddiant, ag adroddiadau da yn y wasg. Canodd Harry Williams (tenor) ddwy gân: "I'll Sing Thee Songs of Araby" a "I am Dreaming". Hefyd Jabez Trevor: "Asra" a "O Mistress Mine".

Sylfaenwr ac arweinydd Cerddorfa Symffoni Bournemouth oedd Syr Dan Godfrey. Clywodd Syr Dan y Cantorion yn canu. O hyn ymlaen, yr oedd ei lythyr at arweinydd y Cantorion yn hysbyslen ac yn rhan o'u cyhoeddusrwydd.

Mewn tref sy'n nodedig am ei cherddoriaeth, roeddynt wedi gwneud eu marc!

Bournemouth
July 30, 1928

"We certainly must make a hit at Bournemouth. . ." — extract from a letter from the conductor to Jabez Trevor (tenor).

After giving concerts in Clacton-on-Sea, Cromer and other places in East Anglia, they went to Bournemouth. They were delayed on their train journey, and as a result they were too late to give the afternoon performance. Nevertheless, the two evening concerts in the Winter Gardens were a success, with good press reports. Harry Williams (tenor) sang two solos: "I'll Sing Thee Songs of Araby" and "I am Dreaming". Also Jabez Trevor (tenor): "Asra" and "O Mistress Mine".

The founder and conductor of the Bournemouth Symphony Orchestra was Sir

READ THIS.

SIR DAN GODFREY'S OPINION.

WINTER GARDENS,
BOURNEMOUTH,
August 1st, 1928.

DEAR MR. FESTYN DAVIES, —

It gives me the greatest pleasure to place on record the appreciation of the public and myself for the splendid performance you gave with the Welsh Imperial Singers. **I don't remember ever hearing a finer combination of Male Voices.**

The tone and ensemble were splendid, and the soloists, each one showed himself an accomplished artiste.

The variety of the selection of items given was well judged to suit all tastes, in fact, the performance did the fullest credit to your splendid training, and I may add the assistance of your accompanist was no little benefit.

Best wishes,
Believe me,
Yours faithfully,
DAN GODFREY

Dan Godfrey. Sir Dan heard the Singers. From now on, his letter to the Singers' conductor became a handbill and part of their publicity.

In a town noted for its music, they had made a hit!

32

Memorandum of Agreement

Between MR. ROBERT FESTYN DAVIES (of the 1st. party) and
Mrs Gabey Trevor .... (of the 2nd. party)

I *Gabey Trevor* do agree to abide by the clauses of this same agreement of the 1st. party.

(1) I agree to serve as a member of "THE WELSH IMPERIAL SINGERS" under the directorship of Robert Festyn Davies for a tour of not less than **SIX CALENDER MONTHS** to take effect on landing in Canada or U.S.A.

(2) I agree to his figure of salary of £ **3** :/**5** : **0** per week payable weekly, plus my subsistence, and travelling expenses. Half salaries paid on ocean trip from Canada to New Zealand or Australia.

(3) I further agree to continue as a member of the above until the choir is disbanded.

(4) I agree to submit myself to the director's instructions in all that appertains to the work of the choir.

(5) Any misdemeanor on my part gives the 1st. party the right to break this contract.

(6) I further agree to keep myself presentable in bodily cleanliness and tidiness of apparel, as far as I am able on and off the stage.

(7) This agreement to be void for such time or times as a Public Calamity, Epidemic or things unforeseen, but all return fares to England will be paid.

(8) I agree to take part in eight full Concert programmes per week, any extra full programme will be paid for " pro rata."

(9) Engagements in Vaudeville or Cinema Theatres, which call for 3 or 4 performances daily, count as one full programme.

(10) I agree not to sing or accept any musical engagement while on tour except by the director's permission.

(11) I further agree not to accept any musical engagement for six months from period of dismissal from or on leaving the choir.

Arwyddo'r Cytundeb

Am ddwy flynedd, o 1926 hyd 1928, roedd y Cantorion yn teithio ym Mhrydain. Darparwyd y cytundeb hwn ar gyfer y daith gyntaf yng Ngogledd America — deng mis yng Nghanada, 1928-1929. Roedd eu henillion mewn gwirionedd yn fwy na'r hyn a ddangosir ar y cytundeb, ar ôl taliadau "pro rata". Hefyd, roeddynt, fel unigolion, yn medru canu mewn cyngherddau ac eglwysi ar wahân i gyngherddau'r grŵp. Ond yn Nirwasgiad y 30au roedd pethau'n hollol wahanol.

Nid aethant i Seland Newydd ac Awstralia.

Signing the Contract

For the first two years, 1926-1928, the Singers toured Britain. This contract was prepared for the first tour of North America — ten months in Canada, 1928-1929. Their earnings were in fact more than shown on the contract when "pro rata" payments were added. Also, as individuals, they could sing in concerts and churches, apart from the group's concerts. But in the Depression of the 1930s however, it was very different.

In the event, they did not go to New Zealand and Australia.

33

Mordaith i Ganada
S.S. Laurentic

Roedd y *Laurentic* (18,724 tunnell) yn llong newydd ac yn un o'r rhai olaf i gael ei thanio drwy losgi glo. Hwyliodd o'r Princes Landing Stage, Lerpwl, am bump o'r gloch, Medi 14, 1928; galwodd yn Belfast a Glasgow, a'r Cantorion yn canu i'r teithwyr ar ddwy noson, cyn cyrraedd Quebec Medi 22. A'r noson honno, rhoddodd eu cyngerdd cyntaf yn y Byd Newydd yn Eglwys Wesleaidd Quebec.

Voyage to Canada
S.S. Laurentic

The Laurentic (18,724 tons) was a new ship, and one of the last to be coal-fired. Sailing from the Princes Landing Stage, Liverpool, 5 p.m., September 14, 1928, calling at Belfast and Glasgow, with the Singers giving two evening concerts for the passengers, she reached Quebec September 22. The same evening the Singers gave their first concert in the New World at the Quebec Welseyan Church.

White Star Line

On board S·S·LAURENTIC

Ei llun ar bapur sgrifennu'r llong
Her picture on the ship's writing paper

34

Windsor Hall
Montreal
Hydref 8 a 9, 1928

Cymry Gogledd America roddodd y croeso mwyaf tywysogaidd i'r Cantorion wrth gwrs. Noddwyd eu cyngherddau yn yr Windsor Hall, Montreal, gan Owen Roberts a Titus Davies, a rhannwyd yr elw rhwng Cymdeithas Dewi Sant a Chapel Cymraeg Salem, Montreal.

Mae'r rhaglen hon wedi dod oddi wrth Owen C. Roberts, cyn-Lywydd Cymdeithas Dewi Sant, Montreal.

Windsor Hall
Montreal
October 8 & 9, 1928

It was the Welsh of North America who gave the Singers the greatest welcome of course. Concerts at the Windsor Hall, Montreal, were sponsored by Owen Roberts and Titus Davies. Profits from them were shared equally between the Montreal St David's Society and the then very active Salem Welsh Church.

This programme came from Owen C. Roberts, an ex-President of the St. David's Society, Montreal.

CHORUSES : PART SONGS

1	a	" March of the Men of Harlech "	John Guard
	b	" Dafydd y Gareg Wen "	Arr. Sydney Northcote
2	a	" March of the Men of Harlech "	John Guard
	b	" A Song of Armada "	Chudleigh - Candish
3	a	" In Absence "	Dudley Buck
	b	" Killarney "	Balfe
4	a	" Just a wearying for You "	Carrie Jacobs - Bond
	b	" Killarney "	Balfe
5	a	" Just a-wearying for You "	Carrie Jacobs - Bond
	b	" Hymn to Apollo "	Gounod - Fletcher
6	a	" Carry Me Back to Old Virginny "	Arr. W. O. Perkins
	b	" Hymn to Apollo "	Gounod - Fletcher
7	a	" Carry Me Back to Old Virginny "	Arr. W. O. Perkins
	b	" Boys of the Old Brigade "	J. A. Parks
8		" Come Back to Erin "	Arr. Percy Fletcher
9		" Tom, the Piper's Son "	F. A. Kendall
10		" The War Song of the Saracens "	Bantock
11		" A Song of the Armada "	Chudleigh - Candish
12		" The Song of the Jolly Roger "	Chudleigh - Candish
13		" An Evening's Pastorale "	Wilfred Shaw
14		" John Peel "	Arr. Percy Fletcher
15		" The Assyrian Came Down "	Cyril Jenkins
16		" The Lord is My Shepherd "	Schubert
17		" Fallen Heroes "	Cyril Jenkins
18		" Ar hyd y Nos "	Arr. Roland Rogers
19		" Myfanwy "	Dr. Parry
20		" In the Sweet By and By "	Protheroe
21		" Y Delyn Aur "	Pugh Evans
22		" Crossing the Plain "	Maldwyn Price
23		" The Lost Chord "	Sullivan - Brewer
24		" Through the Glen "	Markham Lee
25		" Fol, Dol, do "	Armstrong Gibbs
26		" Night and Day "	Alfred Dard
27	a	" Bugilio 'r Gwenith Gwyn "	Welsh Airs
	b	" Ar Doriad Dydd "	Welsh Airs
28		" Mwyn iw myned tua Mon "	Welsh Airs
29		" Codwyn Hwyl "	Parry
30		" The Fisherman "	Maldwyn Price

Robert J. Williams
Bas

Roedd y bas Robert J. Williams yn dod yn wreiddiol o Rosgadfan. Ymunodd â'r *Welsh Imperial Singers* yn 1926. Canodd efo nhw tan 1933. Aeth i Ogledd America bedair gwaith.

Mae'r llun ar fwrdd y llong yn dangos rhai o'r Cantorion efo'r capten. Mae Robert J. Williams yn eistedd ar y dde.

Robert J. Williams
Bass

The bass Robert J. Williams hailed from Rhosgadfan. He joined the Welsh Imperial Singers in 1926, and sang with them until 1933. He toured North America four times.

The picture on board ship shows some of the Singers with the ship's captain. Robert J. Williams is sitting on the right.

Robert J. Williams
Bas/*Bass*

Rhai o'i ganeuon:
Some of his songs:
"Y Milwr Clwyfedig" (R. S. Hughes)
"The Bandolero" (Stuart)
"When Song is Sweet" (Sans-Souci)
"Invictus" (Brudo Hulm)

Toronto
Hydref 1928 - Mai 1930

Yn Toronto roedd y Cantorion mewn fodfil yn y Theatr Pantages, ac yn canu am hanner awr dair gwaith bob dydd am wythnos. Roedd cyngherddau yn Eglwys y Drindod a'r Massey Hall, darllediad o'r King Edward Hotel, a chanu yn yr Eaton Stores. Toronto oedd eu pencadlys i ymweld â Barrie, Oshawa a mannau eraill yn ne Ontario.

Mae adroddiad ar eu canu yn y Theatr Pantages yn diweddu â'r geiriau: ". . .rhaglen sydd yn gadael y gwrandawr yn ddiolchgar am y wir gelfyddyd sydd yn y byd o hyd." Roedd Cymry Toronto yn y gynulleidfa (yn ôl disgrifiad y bas Ulam Hughes) yn bloeddio am fwy!

Y mae'r llun yn dangos yr aelodau oedd yn Toronto ar yr Ail Daith, 1929-1931.

Toronto
October 1928 - May 1930

In Toronto the Singers were in vaudeville at the Pantages Theatre, singing for three half-hour performances daily, for the whole week. There were concerts at Trinity Church and the Massey Hall; a broadcast from the King Edward Hotel, and singing at Eaton Stores. Toronto was their head-quarters; from there they visited Barrie, Oshawa and other places in southern Ontario.

A report on their singing in the Pantages Theatre concludes with the words: ". . .a programme that leaves you grateful for the true artistry still in the world." And, in the account given by the bass Ulam Hughes, the Welsh of Toronto in the audience were shouting, "Encore."

The picture shows the members who were in Toronto on the Second Tour, 1929-1931.

UNDER SAME
MANAGEMENT
FORD HOTEL
BUFFALO
750 ROOMS WITH BATH
FORD HOTEL
ERIE
400 ROOMS WITH BATH

FORD
FEATURES
ACCESSIBILITY
COMFORT
CLEANLINESS
POPULAR PRICED
MODERN-FIREPROOF

Bay and Dundas Streets
750 ROOMS WITH BATH

Mae popeth yn fodern yn Toronto 1928 - 1930

Arhosodd y Cantorion yn yr Hotel Ford, gwesty â 750 ystafell, gyda ffôn ac ystafell ymolchi i bob un. Aeth y Cantorion i ymweld â llawer o gartrefi — yn enwedig cartrefi Cymry'r ddinas. Roedd ganddynt i gyd ffôn a char — Ford Model "A" neu Chevrolet. Ar y strydoedd roedd goleuadau traffig — coch, gwyrdd. . . "Rhaid i ni gael rhain yn ein gwlad ni," meddyliodd y Cantorion. Roedd gan y tramau ddrysau otomatig. Mewn sinema, yn y dyddiau cyn y lluniau llafar, gwelsant ffilm-newyddion o'u hunain yn glanio yn Quebec ac yn dod oddi ar y llong *S.S. Laurentic*. Ar lwyfan y Theatr Pantages roedd rhaid iddynt wisgo colur ar eu hwynebau — a hynny am y tro cyntaf erioed.

Ond er gwaetha'r cwbl, roedd capel Cymraeg yn Toronto. Cawsant hefyd agoriad llygad mewn Ysgol Sul, o'r enw "Dr. Shield's Sunday School" yn y ddinas. Roedd mil a deugain o ddisgyblion ynddi.

Everything is modern in Toronto, 1928 - 1930

The Singers stayed at the Ford Hotel, with its 750 rooms each with telephone and bathroom. They visited many homes, especially those of the Welsh of the city. All had a phone, and a car — a Ford Model "A" or a Chevrolet. In the streets were traffic lights — red, green. . . "We must have these in our country," thought the Singers. The streetcars had automatic doors. In a cinema, in the days before the talkies, they saw a news-reel of themselves landing at Quebec, coming off the liner S.S. Laurentic. On stage at Pantages Theatre, they had to wear make-up on their faces — the first time ever.

But despite all this, there was a Welsh chapel in Toronto. And they had an eye-opener visiting a Sunday School in the city, "Dr. Shield's Sunday School." In it were one thousand and forty pupils.

Calgary yn nechrau'r ganrif
Calgary early in the century

Ymysg y Cymry
Calgary, Alberta

Among the Welsh
Calgary, Alberta

Mae Gwilym Jones (Y Rhyl; ac yn wreiddiol o Goedpoeth) yn cofio cyngherddau'r Cantorion yng Nghalgary, Alberta, lle bu ef yn byw am 30 mlynedd.

Ymweliad cyntaf y Cantorion oedd yn Rhagfyr, 1928, i roi cyngherddau yn y Central Church, cyn teithio tua'r gorllewin i British Columbia. Wedyn, yn Chwefror 1929 ar eu siwrnai yn ôl tua'r dwyrain, rhoddwyd cyngherddau yn Neuadd yr Elks, gan gyflwyno'r elw tuag at gynorthwyo glowyr Prydain. Casglwyd dros $500, neu dros gan punt o arian yr hen wlad.

Yn ystod eu hail daith, Mawrth ac Ebrill 1930, roeddynt unwaith eto yn Neuadd yr Elks a hefyd yn Neuadd Byddin yr Iachawdwriaeth. Canasant mewn gwledd y Rotariaid.

Roedd Cymry Calgary yn edrych ymlaen at bob cyngerdd, ac roedd y Cantorion hefyd yn mwynhau bod ymysg gymaint o Gymry mewn dinas lle roedd yr awyr mor glir. Ar ddiwedd eu taith gyntaf yng Nghanada, aeth eu cyfeilydd, George Lloyd Roberts (Rhiwlas, Bangor), yno i fyw.

Gwilym Jones (of Rhyl, with roots in Coedpoeth, near Wrexham) remembers the concerts the Singers gave in Calgary, Alberta, where he lived for 30 years.

The Singers' first visit was in December, 1928, to give concerts at the Central Church, before moving westward to British Columbia. Then in February 1929, now on their way back east, they gave concerts in the Elks Auditorium, the proceeds going towards helping British coal miners. The proceeds amounted to $500, or over £100 sterling.

In March and April, 1930, during their second tour they again sang at the Elks Auditorium and the Salvation Army Hall; they sang too at a Rotary banquet.

The Welsh of Calgary looked forward to every concert. The Singers, too, enjoyed being among so many Welsh people in a city where the air was so clear. At the end of their first Canadian tour, their accompanist, George Lloyd Roberts (of Rhiwlas, Bangor), returned there to live.

Field, British Columbia
Rhagfyr 15, 1928

Ysgrifennwyd nodyn ar gefn y ffotograff hwn gan Jabez Trevor, tenor, at ei blant yn eu cartref ym Mhen-y-wern: "Tynnwyd y llun hwn yn Field, British Columbia, y pwynt uchaf y mae'r rheilffordd yn ei gyrraedd yn y Canadian Rockies — 5,000 troedfedd uwchlaw lefel y môr. Mae 'na fynydd 12,000 o droedfeddi. Dad."

Roedd hyn ar y Canadian Pacific Railway, siwrnai o 300 milltir o Calgary, Alberta i Revelstoke, British Columbia, siwrnai gyda golygfeydd hardd yr holl ffordd ac un twnnel chwe milltir a hanner o hyd. O'r trên, gwelsant fualod, eirth, ceffylau gwylltion a hefyd rans Tywysog Cymru. Cyrraedd Revelstoke, a rhoi cyngerdd yn yr Y.M.C.A. yr un noson.

Field, British Columbia
December 15, 1928

A note was written on the back of this photograph by Jabez Trevor, tenor, to his children at their home, Pen-y-wern: "This picture was taken in Field, British Columbia, the highest point the railway reaches in the Canadian Rockies — 5,000 feet above sea level. There is a mountain over 12,000 feet high. Dad."

This was on the Canadian Pacific Railway, a journey of 300 miles from Calgary, Alberta, to Revelstoke, British Columbia, with beautiful scenery all the way, and one tunnel six and a half miles in length. From the train they saw buffaloes, bears, wild horses, and the ranch of the Prince of Wales. The Singers arrived at Revelstoke to give a concert at the Y.M.C.A. the same evening.

George Lloyd Roberts, cyfeilydd (ar y chwith), a Jabez Trevor, tenor yn sefyll wrth yr injian C.P.R.
George Lloyd Roberts, accompanist (on the left), and Jabez Trevor, tenor, standing by the C.P.R. locomotive.

Croesi'r Canadian Rockies
at y Môr Tawel
Rhagfyr 1928

O'r Kicking Horse Pass, aeth y siwrnai ar y Canadian Pacific Railway ymlaen i Kamloops, ac wedyn i Vancouver (yr Empress Theatre). Ar Fedi 22, 1928, ffilmwyd y Cantorion yn glanio yn Quebec. Erbyn Rhagfyr, roeddynt wedi canu yr holl ffordd cyn belled â Victoria, y ddinas hardd ar Ynys Vancouver, lle canasant ar ddydd Nadolig, 1928. Ar yr ynys, roedd cyngherddau hefyd yn Nanaimo, Cumberland, Courteney, Duncan a Port Alberni. Hwylio'n ôl wedyn ar y fferi i Vancouver, ac wythnos o ganu yno yn y Pantages Theatre, cyn dechrau ar y daith yn ôl tua'r dwyrain.

Ym mhob man, rhoddwyd derbyniad mawr iddynt gan y Cymry.

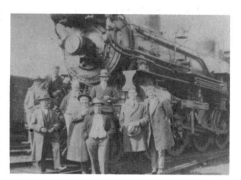

Crossing the Canadian Rockies
to the Pacific
December 1928

From the Kicking Horse Pass, the journey on the Canadian Pacific Railway continued to Kamloops, and then to Vancouver (The Empress Theatre). On September 22, 1928, the Singers were filmed landing at Quebec. By December, they had sung all the way as far as the beautiful city of Victoria on Vancouver Island, where they performed on Christmas Day, 1928. On the island, they also gave concerts at Nanaimo, Cumberland, Courteney, Duncan and Port Alberni. They sailed back on the ferry to Vancouver to give a week's singing at Pantages Theatre, before beginning their journey back eastwards.

Everywhere they received a great reception by the Welsh.

Ar y llwyfan tu ôl i'r trên
On the rear platform of the train

McGillivray Loop, Crowsnest Pass

Yn British Columbia
Ionawr 1929

Chilliwack, Kamloops, Vernon, Kelowna, Penticton, Trail, Nelson: y rhain oedd y mannau yn y Rockies lle buont yn canu. Roeddynt yn awr yn trafaelio ar y rheilffyrdd yn ne British Columbia, ond hefyd roedd rhaid iddynt deithio 80 milltir ar stemar ar Lyn Okanagan i gyrraedd Penticton. Aethant yn ôl i Alberta drwy'r Crowsnest Pass.

Er gwaethaf eu hiraeth, eu hamser yn British Columbia oedd yr amser mwyaf rhyfeddol a gawsant tra yng Nghanada yn ôl Ulam Hughes (bas): croeso cynnes ym mhob man gan y Cymry — cawsant gartref oddi cartref; hefyd cyfle i weld mwynglawdd aur a melin bapur a phrofi eira mawr, awyr glir a thymheredd isel Ionawr yn y Rockies a oedd mor wahanol i'r tywydd cymhedrol wrth y Môr Tawel. Profiad bythgofiadwy.

Yng ngwanwyn 1930, aethant yn ôl i British Columbia.

In British Columbia
January 1929

Chilliwack, Kamloops, Vernon, Kelowna, Penticton, Trail, Nelson: these were the places in the Rockies where they sang. They were now travelling by rail in southern British Columbia, but it was necessary to journey 80 miles by steamer on Lake Okanagan to reach Penticton. They returned to Alberta via the Crowsnest Pass.

Despite being homesick, their time in British Columbia was the most wonderful in Canada, said Ulam Hughes (bass): a warm welcome everywhere from the Welsh — like home from home; seeing a gold mine and a paper mill; the deep snow, clear air and low January temperatures of the Rockies which were such a contrast to the mild climate on the Pacific coast. An experience never-to-be-forgotten.

In 1930, they returned to British Columbia in the spring.

Edmonton, Alberta
1929 - 1930
Bangor, Saskatchewan
Chwefror 1930

O Chwefror 1929 i Fai 1930, rhoddwyd naw cyngerdd gan y Cantorion yn Edmonton. Roedd yna groeso mawr gan y Cymry oedd yn byw yno, yn enwedig oddi wrth y rhai a fagwyd yn ardal Yr Wyddgrug a Wrecsam. Cawsant ginio efo'r maer.

Mae'r llun cyntaf yn dangos y Cymry yn cyfarfod â'r Cantorion yn Stesion y C.P.R.

Englyn gan Enoch Davies,
Bangor, Saskatchewan

Ffarwel i Gôr Ffestyn
Da y boch ar hyd y byd — a chenwch
Â chynnydd dihewyd
I oedfaon gŵyd fywyd —
Gôr penna' Gwalia i gyd!

A free translation of an englyn
by Enoch Davies, Bangor, Saskatchewan

Farewell to Festyn's Chorale
To you, worldwide success — and sing
With ever increasing devotion
To throngs, of real life's felt emotion:
Cambria's supreme chorale — let ring!

Edmonton, Alberta
1929 - 1930
Bangor, Saskatchewan
February 1930

Between February 1929 and May 1930, nine concerts were given by the Singers in Edmonton. There was a great welcome from the Welsh who lived there, especially from those with roots in the Mold and Wrexham area. The Singers dined with the Mayor.

The first photograph shows the Edmonton Welsh meeting the Singers at the C.P.R. Station.

Gyda'r Cymry yn Edmonton
With the Welsh of Edmonton

43

Grand Falls, Newfoundland
Mai 24, 1929

Grand Falls, Newfoundland
May 24, 1929

1. WATKIN EDWARDS
   (tenor)
   Rhos, Wrecsam
2. JACK NEWBURY
   (bas/*bass*)
   Abertawe/*Swansea*
3. GEORGE LLOYD ROBERTS
   (cyfeilydd/*accompanist*)
   Rhiwlas, Bangor
4. ULAM HUGHES
   (bas/*bass*)
   Y Ffridd/*Ffrith*, Wrecsam
5. HOWELL G. WILLIAMS
   (bariton/*baritone*)
   Abergele
6. R. FESTYN DAVIES
   (arweinydd/*conductor*)
   Trawsfynydd

7. JOHN LEWIS
   (tenor)
   Tylorstown
8. DAVID MORRIS
   (tenor)
   Trawsfynydd
9. JABEZ TREVOR
   (tenor)
   Treuddyn, Yr Wyddgrug/*Mold*
10. ROBERT J. WILLIAMS
    (bas/*bass*)
    Rhosgadfan
11. HARRY WILLIAMS
    (tenor)
    Bethesda
12. WILFRED JONES
    (bariton/*baritone*)
    Rhos, Wrecsam
13. RICHARD MACKLIN
    (tenor)
    Caernarfon

Absennol/*Absent*:
TOM J. JOHN
(bas/*bass*)
Tylorstown

Dyma'r aelodaeth fel yr oedd hi ar y daith
1928-1929 yng Nghanada
These members toured Canada during 1928-1929

Grand Falls, Newfoundland
Mai 24, 1929

"Dydd Gwener, Mai 24, 1929 — dyma ddiwrnod hynod o braf. Euthum allan yn y bore gyda'r camera i lan yr afon ac i weld y Falls," ysgrifennodd y tenor Harry Williams. "Cawsom amser hynod o hapus, ac i wneud pethau'n hapusach daeth 'Uncle' (yr arweinydd) i lan yr afon gyda rhai o'r bechgyn, ac yno y cawsom ein cyflogau. . .

. . .Cyngerdd yn Neuadd yr Eglwys am 8.30."

Wedyn ar y trên (ar drac gul) i St John's: ". . .o'r trên cawsom weld golygfeydd gyda glan y môr tebyg iawn i'r olygfa wrth ddod o Gaer i Fangor yn yr Hen Wlad." Tair wythnos o ganu yn St John's a'r cylch, yna hwylio adref ar y llong *S.S. Newfoundland* i ddiweddu'r daith gyntaf yng Nghanada.

Roeddynt yn Grand Falls am yr ail dro y Medi canlynol ar ddechrau'r Ail Daith.

Grand Falls, Newfoundland
May 24, 1929

"Friday, 24th May, 1929 — it has been exceptionally fine today. Taking my camera with me, I went this morning to see the Falls." So wrote Harry Williams (tenor). "It was a day full of joy, especially as 'Uncle' (the conductor) came with some of the lads. Down at the river he handed to us our pay. . .

. . .Concert this evening at 8.30 at the Church Hall."

Their next journey was on the narrow gauge railway to St John's: ". . .the view from the train as we followed the line of the shore reminded me of the Chester-to-Bangor railway journey along the North Wales coast." In the St John's area they gave concerts for the next three weeks, bringing to an end their first tour of Canada. They boarded the S.S. Newfoundland for home.

The following September, at the start of their Second Tour, they paid a return visit to Grand Falls.

Jack Newbury
Bas
Ar fwrdd *S.S. Nova Scotia*
Awst 1929

Un o Abertawe oedd Jack Newbury (1902-1969), â llais bas swynol iawn. Roedd yn aelod o'r Cantorion, 1926-1934, gan deithio bedair gwaith yng Ngogledd America. Yn y llun, mae'n sefyll ar y chwith ar fwrdd *S.S. Nova Scotia*, yn hwylio i Ganada am yr ail dro. Hefyd yn y llun: Harry Williams, tenor; Ulam Hughes, bas; R. J. Williams, bas; a David Morris, tenor. Yn Abertawe, roedd gan Jack Newbury grŵp o gantorion o'r enw *Swansea Imperial Singers*.

Hwyliodd y llong fechan *Nova Scotia* (6,800 o dunelli) o Lerpwl ar ddydd Mawrth, Awst 20, 1929, am saith o'r gloch yn nos. Un cyngerdd nos Sadwrn ar fwrdd y llong. Cyrraedd St. John's, Newfoundland, nos Lun, Awst 26, 1929. Cyngerdd y diwrnod canlynol yn Harbour Grace, y cyntaf o'r daith o ugain mis yng Nghanada a'r Stêts.

Jack Newbury
Bass
On board S.S. Nova Scotia
August 1929

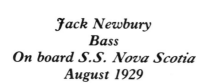

Jack Newbury (1902-1969), was from Swansea, and had a charming bass voice. He was a member of the Singers during 1926-1934, touring North America four times. In the picture, he stands on the left, on board S.S. Nova Scotia, sailing to Canada for the second time. Also in the picture: Harry Williams, tenor; Ulam Hughes, bass; R. J. Williams, bass; and David Morris, tenor. In Swansea, Jack Newbury had a group of singers called Swansea Imperial Singers.

The small liner Nova Scotia (6,800 tons) sailed from Liverpool on Tuesday, August 20, 1929, at 7 p.m. They gave one concert on board, on the Saturday night. They landed at St. John's, Newfoundland, Monday evening, August 26, 1929. The concert given at Harbour Grace the following day was the first of the tour of 20 months in Canada and the U.S.A.

Rhai o'i ganeuon:
Some of his songs:

"In Hallow'd Dwellings" (Magic Flute) (Mozart)
"O Isis and Osiris" (Magic Flute) (Mozart)
"See the Heaven's Smile" (Purcell)
"The Lute Player" (Allitsen)
"When a Maiden" (Il Seraglio) (Mozart)
"The Road to Anywhere" (Asleigh)

Evan Morlais Wrench
Bas

Ei gartref oedd Ty'r Mynydd, Garn Dolbenmaen. Gweithio mewn chwarel yn Ffestiniog yr oedd o cyn ymuno â'r Cantorion yn 1929 i fynd ar yr ail daith i Ganada. Aeth ar bedair taith i Ogledd America. Yn ystod yr Ail Rhyfel Byd aeth i weithio mewn ffatri I.C.I. yn Runcorn, Sir Gaer, ac roedd yn arweinydd côr yno. Cafodd ei ladd mewn ffrwydrad yn y ffatri, Mawrth, 1943, yn 38 mlwydd oed.

Evan Morlais Wrench
Bass

His home was Ty'r Mynydd, Garn Dolbenmaen. He worked at a quarry in Ffestiniog, and in 1929 joined the Singers to go on their second tour of Canada. He went on four of their North American tours. During the Second World War he worked at the I.C.I. factory in Runcorn, Cheshire, and there he conducted a choir. He was killed in an explosion at the factory, March, 1943, at the age of 38.

Evan Morlais Wrench
Bas/*Bass*
1905 - 1943
Garn Dolbenmaen

Aelod y Welsh Imperial Singers:
Member of the Welsh Imperial Singers:
1929 - 1933
1938 - 1939

Rhai o'i ganeuon:
Some of his songs:
"Arm, Arm, Ye Brave" (Handel)
"Drake Goes West" (Sanderson)
"Tomorrow" (Keel)
"Floral Dance" (Katie Moss)
"Without a Song" (Youmans)

Antigonish, Nova Scotia
Medi 24, 1929

"Mi gwrddais ag un o aelodau'r *Welsh Imperial Singers* yn y Strand," ysgrifennodd y newyddiadurwr yn *Y Ford Gron*, Gorffennaf, 1931. 'Yn y colegau a'r ysgolion y byddwn ni'n canu gan amlaf,' meddai. 'Yn sicr i chi, mae'r côr allan i weithio tros Gymru, i wneud sôn am ei henw hi ym mhobman. . . . . .Mi wn fy hun am ugeiniau a aeth i ymweld â Chymru ar ôl ein clywed ni'n canu ei chlodydd hi.' "

Ar ôl canu — chwarae. Yn y llun, mae'r Cantorion yn barod i gael gêm bêl-droed â'r myfyrwyr mewn coleg yn Antigonish, Nova Scotia. Gêm gyfartal, 1 : 1. Torrodd Howell Williams, baritôn, ei goes.

Antigonish, Nova Scotia
September 24, 1929

"I met in the Strand one of the members of the Welsh Imperial Singers," wrote the columnist in Y Ford Gron, July, 1931. 'We frequently sing in the colleges and schools,' he said. *'You can be sure, the Singers are working for Wales, to make it known everywhere. . . I know myself of many who visited Wales after hearing us sing its praises.' "*

After singing, playing. In the picture, the Singers are ready for a game of soccer with the students at a college in Antigonish, Nova Scotia. A drawn game, 1 : 1. Howell Williams, baritone, broke his leg.

Tîm y Coleg
The College Team

Norman Evans, Cyfeilydd, yn Nova Scotia 1928 - 1929

Pianydd gwych oedd Norman Evans. Aelod o'r *Welsh Imperial Singers* rhwng 1929 a 1934, aeth i Ogledd America dair gwaith. Ef oedd eu hail gyfeilydd. Ar ôl 1934, aeth am sbel i chwarae gyda Peter Mills a'i Fand yn Payne's Majestic Ballroom, Llandudno. Wedyn, teithiodd drwy wledydd Prydain efo Parti Billy Manders yn rhoi adloniant ysgafn, ac yn perfformio yn Y Rhyl gyda'r grŵp hwn. Bu farw Norman Evans yn ifanc iawn, yn 1937. Roedd ei gartref ym mhentref Brynhyfryd, ger Wrecsam.

Yn 1928, a hefyd yn 1929, teithiodd y Cantorion drwy Daleithiau Arfordirol Canada, sef New Brunswick, Prince Edward Island a Nova Scotia. Ar Hydref 4, 1929, roeddynt yn ymweld â Phrifysgol Acadia yn Wolfville, Nova Scotia, yn rhoi cyngerdd fel rhan o gwrs celfyddydau cain. Yn y cyngerdd, ar ôl unawd ar y piano gan Norman Evans, galwyd am dair encore.

Norman Evans, Accompanist, in Nova Scotia, 1928 - 1929

Norman Evans
Cyfeilydd/*Accompanist*
1912 - 1937

Norman Evans was a brilliant pianist. A member of the Welsh Imperial Singers between 1929 and 1934, he toured North America three times. He was their second accompanist. After 1934 he was for a time with Peter Mills and his Band at Payne's Majestic Ballroom, Llandudno. Later he toured Britain with Billy Manders, giving light entertainment. The group performed in Rhyl. Norman Evans died while still very young, in 1937. His home was at Summerhill, near Wrexham.

During 1928, and again in 1929, the Singers toured the Canadian Maritime Provinces, namely New Brunswick, Prince Edward Island and Nova Scotia. On the 4th of October, 1929, they visited Acadia University in Wolfville, Nova Scotia, to give a concert as part of a fine arts course. In the concert, after giving a piano solo, Norman Evans was called upon to give three encores.

Rhai o'i unawdau ar y piano:
Some of his piano solos:
"Military March in D" (Schubert)
"Waltz in C Sharp Minor" (Chopin)
"Witches' Dance" (MacDowell)
"Autumne" (Chaminade)
"Lie bestraum" (Liszt)

Montreal
Tachwedd 1929

Ar y llwyfan yn Montreal
yn ystod yr Ail Daith yng Nghanada

Montreal
November 1929

On stage in Montreal
during the Second Tour of Canada

Gwelsant yr Awyrlong R100 yn cyrraedd ar
ddiwedd ei thaith ar draws Môr Iwerydd
They saw the arrival of the Airship R100
after its Atlantic crossing

Montreal
Tachwedd 1929 - Mehefin 1930

Yn y ddinas hon, roedd y Cantorion yn
canu ar y radio; yn y Theatr Pantages;
mewn fodfil (yr Empress Theatre a'r
Ontremont Theatre); yn yr Ogilvy
Stores; a mewn colegau ac eglwysi.
Recordiwyd tair record "78" yn stiwdio
"His Master's Voice" Victor.

Montreal
November 1929 - June 1930

*In this city, the Singers sang on the radio; at
the Pantages Theatre; in Vaudeville (The
Empress Theatre and the Ontremont
Theatre); in Ogilvy's Stores; and in colleges
and churches. Three "78" records were
made at "His Master's Voice" Victor studio.*

Eu Recordiau:
Their Recordings:

"Gwŷr Harlech" (*Men of Harlech*)
"Ar Hyd y Nos" (*All through the Night*)
"The Lost Chord" (Sullivan)
"In the Sweet By-and-By"
(arr. Protheroe)
"The Boys of the Old Brigade"
(Weatherly-Parks)
"The Song of the Jolly Roger"
(Chudleigh-Candish)

Y Cantorion yn canu yn yr awyr agored
mewn coleg yn Montreal
*The Singers singing in the open air
at a college in Montreal*

Mr Victor Desautels, Ontremont, Montreal,
asiant y Cantorion yng Nghanada, 1928-1930
*Mr Victor Desautels, Ontremont, Montreal,
the Singers' agent in Canada, 1928-1930*

Ar gael ar gasét oddi wrth:
Available on cassette from:
Adlonni Audio Tapes, Bryn Goleu, Plasgwyn,
Pwllheli, Gwynedd LL53 6UT

51

Ottawa
Chwefror 3, 1930

Ottawa
February 3, 1930

Roedd cardiau post o bob rhan o Ogledd America yn cyrraedd atom ni'r plant ym Mhen-y-wern. Dyma un o Ottawa, a'r neges yn fer ac yn addysgiadol fel arfer: ". . .digon siŵr rwyt yn gwybod mai prifddinas Canada yw Ottawa. . ."

Postcards from all parts of North America reached us the children at Pen-y-wern. Here is one from Ottawa, with the message brief and educational as usual: " . . .no doubt you know that Ottawa is the capital of Canada. . ."

Cafwyd gwledd croesawiad oddi wrth Gymdeithas Dewi Sant, Ottawa. Roedd y Cantorion yn canu hefyd mewn Noson Agored yn yr A. J. Freiman Store. Darlledwyd eu canu ar y radio led-led y Cyfandir.

The Singers were given a welcome banquet by the St. David's Society of Ottawa. They sang too at an Open Night at the A. J. Freiman Store. Their singing was broadcast on the radio throughout the whole Continent.

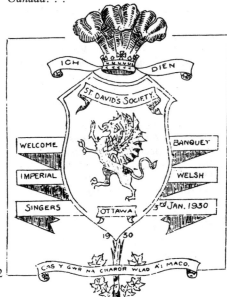

Chapleau, Ontario
Chwefror 13, 1930

Chapleau, Ontario
February 13, 1930

Ar ôl rhoi dau gyngerdd yn Neuadd y Dref, Chapleau, aethant i weld ysgol yr Indiaid. Mae'r ceffylau'n tynnu'r sled oedd yn cario'r holl Gantorion — i ffwrdd â nhw allan i'r wlad a'r tymheredd yng nghanol y gaeaf yng Ngogledd Ontario mor isel â -10°F.

After giving two concerts in the Chapleau Town Hall, they visited an Indian School. A horse-drawn sleigh carried the Singers out into the country, with the mid-winter temperature of Northern Ontario down to -10°F.

Gyda'r plant y tu allan i'r ysgol
With the children outside the school

Yr ysgol y Mai canlynol
pan oeddynt yno am yr ail dro
*The school in the following May
when they were there for the second time*

53

Pa fath o ganu?

Roedd y *Welsh Imperial Singers* yn nodedig am eu canu disgybledig a chyhyrog. Dywedodd un sylwedydd eu bod yn canu fel pe bai holl offerynnau llinynnol, chwyth a phres cerddorfa fechan wedi'u trawsnewid yn llais a chalon. Cyfareddwyd pawb gan y Cantorion o Gymru.

Dyfyniad yw hwn allan o adroddiad gan Dan Cameron yn y "Leader", Regina, Saskatchewan, Chwefror 26, 1930. Mae'r adroddiad yn nodweddiadol o'r cant neu fwy sydd wedi cael eu casglu o'r ddwy ochr yr Iwerydd.

What kind of singing?

The Welsh Imperial Singers were remarkable for their disciplined and virile singing. One observer said they sang as though all the string, woodwind and brass instruments of a small orchestra had been transformed into human hearts and voices. Everyone was charmed by the Singers from Wales.

This is an extract from a report by Dan Cameron in "The Leader", Regina. Saskatchewan, February 26, 1930. The report is typical of over a hundred collected from both sides of the Atlantic.

Setting the evening's tone with a spirited "March of the Men of Harlech," the singers passed to an exquisite rendition of "A Farewell," by James Coleman; the stirring "Boys of the Old Brigade"; "The Cuckoo," by E. T. Davies, sung in Welsh; Bullard's fine "Sword of Ferrara"; Gounod's "By Babylon's Wave"; their famous reading of Sullivan's "Lost Chord"; the vigorous "Song of the Jolly Roger," most attractive piracy, and an exquisite closing number, "Sleep, Gentle Lady," revealing a choral and tonal delicacy that was ravishing.

* * *

Regina has come to appreciate, and fully, the brilliance, the flawless diction, the felicity in light and shade, the pervasive tonal beauty that distinguishes the Welsh Imperial Singers. There is an opulence, a pedal profundity generated in their bass clef that enriches the ensemble immeasurably It gives Mr. Davis a dynamic range of seemingly endless resource.

Rhai o'r Cantorion wrth Raeadr Niagara
yn ystod 1928-29
*Some of the Singers at the Niagara Falls
during 1928-29*

Chicago
Mehefin 1930

Rhoddwyd mwy o gyngherddau yn Chicago nag mewn unrhyw ddinas arall. Cyrraedd y ddinas am y tro cyntaf ar y Sul, Mehefin 22, 1930, ar y trên dros-nos o Montreal, i aros yn y Stevens Hotel. Buont yn brif atyniad yng Nghynhadledd Rhyngwladol y Rotariaid, Chicago, Mehefin, 1930, gan roi cyngherddau yn y Stadiwm gyda chynulleidfaoedd o 20,000.

Chicago oedd eu pencadlys yn y Gorllewin Canol, a lle roedd swyddfa eu hasiant yn y Stêts. Roeddynt yn canu yn y Civic Theatre a rhoi darllediadau ar Radio WLS; ac yn y ddinas hon rhwng 1930 a 1939, cyflwynasant tros hanner cant o gyngherddau, y rhan fwyaf mewn eglwysi, gwleddoedd, ysgolion a cholegau.

Chicago
June 1930

More concerts were given in Chicago than in any other city. They arrived in the city for the first time on Sunday, June 22, 1930, on the over-night train from Montreal, to stay at The Stevens Hotel. They were the main attraction at the Rotary International Conference, Chicago, June, 1930, giving concerts at The Stadium to audiences of 20,000.

Saith o'r Cantorion tu allan i'r 'gwesty
Seven of the Singers outside the hotel

Chicago was their headquarters in the Middle West, and where their U.S. agent was located. They sang at the Civic Theatre and gave broadcasts on Radio WLS; and in this city between 1930 and 1939, gave over 50 concerts, very many of them at banquets and in churches, schools and colleges.

Y Cantorion yn Grant Park
yn ymyl y Stevens Hotel
The Singers in Grant Park near The Stevens Hotel

Gyda'r Cymry yn Chicago
Mehefin - Gorffennaf 1930

Yn y 1930au, roedd 'na dair eglwys Gymraeg (Presbyteraidd) yn y ddinas: South Side, Hebron a Humboldt Park. Roedd aelodau'r Cantorion yn gyfarwydd â'r tair. Yn y llun cyntaf, mae Harry Williams, y tenor o Fethesda (yn eistedd, yr ail o'r chwith), yn cyfarfod ag aelodau'r Eglwys Humboldt Park a oedd yn wreiddiol o Fethesda. Mae'r ail lun yn dangos y Cantorion ar adeg picnic efo Cymry Chicago yn Riverview Park, Gorffennaf 5, 1930.

Y flwyddyn ddilynol, rhoddwyd cyngerdd yn Eglwys Hebron, Rhagfyr 19, 1931. Hefyd, clywsant gôr enwog Dan Protheroe yn canu. Canodd Harry Williams y rhan tenor mewn perfformiad o'r "Meseia" yn Eglwys Hebron, Rhagfyr 27, 1931.

With the Welsh in Chicago
June - July 1930

In the 1930s, there were three Welsh churches (Presbyterian) in the city: South Side, Hebron and Humboldt Park. The members of the Welsh Imperial Singers were

familiar with all three. In the first picture, Harry Williams, the tenor from Bethesda (seated, second from the left) meets those members of the Humboldt Park Church who were natives of Bethesda. The second picture shows the Singers during a picnic with the Chicago Welsh in Riverview Park, July 5, 1930.

The following year, a concert was given in Hebron Church, December 19, 1931. Also, they heard Dan Protheroe's famous choir. Harry Williams took the tenor part in a performance of the "Messiah" in Hebron Church, December 27, 1931.

56

Watkin Edwards
Tenor

Yr unig un a fu'n canu gyda'r *Welsh Imperial Singers* o'r dechrau yn 1926 tan ddiwedd y bumed daith yng Ngogledd America, 1938-1939. Ar y llwyfan roedd ef bob amser yn gwisgo ei fedal — roedd wedi'i glwyfo yn y Rhyfel Byd Cyntaf.

The only one to sing with the Welsh Imperial Singers from the beginning in 1926 until the end of the fifth North American tour, 1938-1939. On stage he always wore his war medal — he had been wounded in the First World War.

Rhai o'i ganeuon:
Some of his songs:
"If I Should Call" (Tennent)
"For You Alone" (Gheel)
"In Native Worth" (Haydn)
"Dreams of Long Ago" (Carol-Caruso)
"Total Eclipse" (Handel)

Watkin Edwards, tenor, Rhosllanerchrugog
Ar y chwith, gyda Jabez Trevor, tenor,
rhywle yn Michigan
*On the left, with Jabez Trevor, tenor,
somewhere in Michigan*

Eu llun efo'r bws, ar ôl rhoi cyngerdd mewn coleg yng ngogledd Chicago. Dyma'r aelodaeth fel yr oedd hi ar y daith 1929-1931 yng Ngogledd America.

Their picture with the bus, after giving a concert at a college in north Chicago. This is the membership as it was on the 1929-1931 tour of North America.

Ar y blaen (o'r chwith):
Front row (from the left):
R. FESTYN DAVIES, Trawsfynydd; JABEZ TREVOR, Treuddyn; R. J. WILLIAMS, Rhosgadfan; HARRY WILLIAMS, Bethesda; WATKIN EDWARDS, Rhosllanerchrugog; EVAN MORLAIS WRENCH, Garn Dolbenmaen; DAVID MORRIS (yn eistedd), Trawsfynydd; JACK NEWBURY, Abertawe/ *Swansea*; HOWELL G. WILLIAMS, Abergele; HENRYD JONES, Henryd, Conwy (Gyrrwr y Bws).

Tu ôl (o'r chwith):
Back row (from the left):
ELWYN EDWARDS, Gwersyllt; EMRYS JONES, Penrhiwceiber; ULAM HUGHES, Y Ffridd/*Ffrith*; NORMAN EVANS, Brynhyfryd/*Summerhill*.

Gwestai America

Ychydig o'r gwestai, allan o gannoedd yn yr Unol Daleithiau, lle bu'r Cantorion yn aros. Dyma fel y portreadwyd ar bapur sgwennu y gwahanol westai.

American Hotels

A few of the hotels, from among the hundreds in the United States where the Singers stayed, as pictured on the hotels' own writing paper.

November 7th 1930

Hotel Abraham Lincoln

FIFTH STREET AT CAPITOL AVENUE

Springfield, Illinois

Springfield, Illinois
Gwelsant fedd Abraham Lincoln
They saw Abraham Lincoln's tomb

6th Nov. 1930

Dubuque, Iowa
Yma, croesi'r Mississippi am y tro cyntaf,
Tachwedd 6, 1930
Here they crossed the Mississippi for the first time,
November 6, 1930

DE KALB'S NEW MODERN FIREPROOF EUROPEAN HOTEL.

JACK L. NORTON
PROPRIETOR

The Rice

De Kalb, Ill.

De Kalb, Illinois
Cyngerdd mewn coleg, Tachwedd 4, 1930
A concert in a college, November 4, 1930

59

Rochester N.Y.
Tachwedd 11, 1930

Rochester N.Y.
November 11, 1930

Yn ystod yr ail daith yng Ngogledd America. Newydd gyrraedd yn eu bws, mae'r llun yn eu dangos y tu allan i'r Power Hotel, Rochester, yn Nhalaith Efrog Newydd. Yn Rochester N.Y. roeddynt yn canu mewn Gwledd Rotariaid, a chyngerdd yn y nos yn y Masonic Hall o flaen cynulleidfa o 2,600. "Un o'n dyddiau gorau erioed", ysgrifennodd Harry Williams, y tenor o Fethesda (yn sefyll ar y chwith).

During the second of their five tours of North America. Newly-arrived in their bus at the Power Hotel, Rochester, New York State. In Rochester N.Y. they sang at a Rotary Banquet, and at an evening concert in the Masonic Hall, with an audience of 2,600. "One of our best days ever," wrote Harry Williams, the tenor from Bethesda (standing on the left).

Utica N.Y.
Tachwedd 14 a 16, 1930

Ar ôl teithio o Syracuse N.Y. i Utica N.Y., i aros yn yr Hotel Martin (yn y llun), cynhaliwyd cyngerdd mewn eglwys a hefyd yn neuadd ddawnsio'r Hotel Martin. Ysgrifennodd *Y Drych* (papur newydd y Cymry, Gogledd America), mewn adroddiad yn y Gymraeg: "O'r nodyn cyntaf hyd yr un diwethaf a ganwyd gan y côr hwn, roedd ar dir uchel yn gerddorol a hawdd gweld fod eu canu yn cael effaith neilltuol ar y gwrandawyr." Gyda chymaint o Gymry yno, canodd y gynulleidfa "Hen Wlad fy Nhadau."

Roedd gan y tenor David Morris (Trawsfynydd) ddau frawd yn byw yn Utica. Felly roedd yr ymweliad yn aduniad hapus iddynt.

Utica N.Y.
November 14 and 16, 1930

After travelling from Syracuse N.Y. to Utica N.Y., to stay at the Hotel Martin (in the picture), a concert was held in a church, and also in the ballroom of the Hotel Martin. The Welsh-American newspaper *Y Drych*, in a report in the Welsh language, wrote: "From the first note to the last, the singing by this chorus was, musically, on a high level, and it was easy to see that their singing had a special effect on the listeners." With many Welsh people there, the audience sang "Land of My Fathers" in the old language.

The tenor David Morris (Trawsfynydd) had two brothers who lived in Utica. Thus the visit was a happy reunion for them.

Pennsylvania
1930 - 1939

Aeth y Cantorion i lawer man yn Pennsylvania, lle roedd llawer iawn o Gymry yn byw. Rhoddwyd cyngherddau mewn colegau athrawon yn Kutztown, Bloomsburg a thref o'r enw California. Yn Lancaster, Reading a Wilkes-Barre eu man cyfarfod oedd yr Y.M.C.A. Yn Wilkes-Barre cawsant groeso anfarwol gan y Cymry. Yn nhref Washington, Penn., roedd y cyngerdd o dan nawdd adran addysg y Y.W.C.A.

Clawr y rhaglen a ddefnyddiwyd yn Pennsylvania a thaleithiau eraill yn y Stêts yw hwn. Mewn gwirionedd, eu rhestr darnau ydyw, gyda chant o eitemau — cytganau, unawdau a deuawdau.

Pennsylvania
1930 - 1939

The Singers were in many places in Pennsylvania, where there were so many with Welsh connections. Concerts were given in teachers' colleges in Kutztown, Bloomsburg and a town by the name California. In Lancaster, Reading and Wilkes-Barre their venue was the Y.M.C.A. In Wilkes-Barre there was an unforgettable welcome given by the Welsh. In the town of Washington, Penn., the concert was under the auspices of the education department of the Y.W.C.A.

This is the cover of the programme used in Pennsylvania and other states of the U.S.A. It contains their repertoire, consisting of a hundred items — choruses, solos and duets.

PRESENTING

The Famous Welsh
IMPERIAL
SINGERS

under the direction of
R. Festyn Davies

BRITAIN'S GREATEST MALE ENSEMBLE

THE REDPATH BUREAU

| Commerce Bldg. Rochester, N. Y. | Wabash Bldg. Pittsburgh, Pa. | 6th and Oak Streets Columbus, Ohio | Kimball Bldg. Chicago |

Kansas City, Missouri
Chwefror 8, 1931

Kansas City, Missouri
February 8, 1931

Mae Robert E. Jones, Raytown, Missouri, yn cofio clywed y Cantorion pan oedd yn wyth oed. Roeddynt yn rhoi cyngherddau yn Kansas City, MO., law yn llaw â'r Arddangosfa Foduron yn yr Adeilad Brenhinol Americanaidd, o flaen cynulleidfaoedd o dros 6,000; a hefyd ddarllediadau ar y radio. Roedd tad Robert, Edward Trevor Jones, yn wreiddiol o Gymru (rhywle heb fod ymhell o Gaer) ac felly yn awyddus i gyfarfod â'r Cantorion. Roedd rhieni ei fam o Gymru hefyd.

Mae'r llun yn dangos bws hir-daith Pickwick Greyhound — gwasanaeth bws, 4,000 milltir o daith o Los Angeles drwy Kansas City i Efrog Newydd.

Robert E. Jones of Raytown, Missouri, remembers hearing the Singers when he was eight years old. They were giving concerts in Kansas City, Mo., in connection with the Motor Exhibition in the American Royal Building, before audiences of 6,000. They also gave radio broadcasts. Robert's father, Edward Trevor Jones, was born in Wales (somewhere not far from Chester) and so was keen to meet the Singers. His mother's parents were from Wales too.

The picture shows a Pickwick Greyhound long-distance bus — a bus service of 4,000 miles from Los Angeles through Kansas City to New York.

Gwahoddedigion y Cymry Gogledd America

Hannai'r gantores enwog, Mary King Sarah, yn wreiddiol o Dalysarn. Yn y 20au a'r 30au, roedd hi'n byw yn Waukesha (yn ymyl Milwaukee) yn nhalaith Wisconsin. Daeth y Cantorion yno i ganu ar Ebrill 11, 1931, ac wrth gwrs roeddynt yn wahoddedigion yn ei chartref.

Guests of the Welsh of North America

The noted singer, Mary King Sarah, was a native of Talysarn. In the 1920s and 1930s she lived in Waukesha (near Milwaukee) in the state of Wisconsin. The Singers came there to sing on April 11, 1931, and of course were guests at her home.

Mary King Sarah

Gyda'r Cymry Montreal
With the Welsh of Montreal

Rhai o'r Cantorion gyda theulu Mr a Mrs Harper, Drumheller, Alberta. Mawrth, 1929
Some of the Singers with the family of Mr and Mrs Harper, Drumheller, Alberta. March, 1929

64

WHITE STAR LINE
TWIN-SCREW R.M.S. "BALTIC."

Ar fwrdd *R.M.S. Baltic*
Ebrill - Mai, 1931
Y Fordaith Gartref

Adeiladwyd y llong (23,884 o dunelli) yn 1904.
Un o'r "Big Four"

On Board R.M.S. Baltic
April - May, 1931
The Voyage Home

The ship (of 23,884 tons) was built in 1904.
One of the "Big Four"

Cantorion o ardal yr Wyddgrug a Wrecsam ar y
dec ar ôl rhoi cyngerdd ar y llong yn ystod y
fordaith adref, Ebrill-Mai, 1931
Singers from the Mold and Wrexham area on deck
after giving a concert on the ship during the voyage
home, April-May, 1931

Yn sefyll, o'r chwith:
Standing, from the left:
Elwyn Edwards, tenor, Gwersyllt; Ulam
Hughes, bas/*bass*, Y Ffridd/*Ffrith*; Norman
Evans, cyfeilydd/*accompanist,*
Brynhyfryd/*Summerhill*

Yn eistedd, o'r chwith:
Sitting, from the left:
Jabez Trevor, tenor, Treuddyn; Watkin
Edwards, tenor, Rhosllanerchrugog

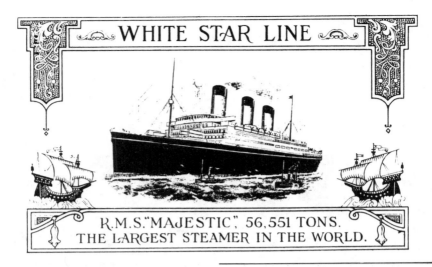

R.M.S."MAJESTIC", 56,551 TONS.
THE LARGEST STEAMER IN THE WORLD.

R.M.S. Majestic
Y llong fwyaf yn y Byd

Adeiladwyd y llong fawr yma yn yr Almaen, ac wedyn cafodd ei rhoddi i Brydain fel rhan o'r iawndal ar ddiwedd y Rhyfel Byd Cyntaf. Argraffwyd ei llun a'i bwydlen ar lythyr a bostiwyd ar fwrdd y llong.

Roedd y Cantorion newydd ddod adref ar ôl ugain mis i ffwrdd ar yr ail daith, cyrraedd Lerpwl ar Fai 5, 1931. Pum wythnos adref, cyngerdd yn Y Pafiliwn, Bae Colwyn, ac un arall yng Nghei Conna, wedyn hwylio o Southampton, Mehefin 10, ar fwrdd R.M.S. Majestic, i fynd ar y drydedd daith o ddeng mis. Cyrraedd Efrog Newydd Mehefin 16, ar ôl mordaith o chwe niwrnod.

MENU

R.M.S. " *Majestic.* June 13, 1931

. **Dinner** .

Cole Slaw   Dill Pickles
Macédoine Salad   Jambon sur Canapé
Little Neck Clams
Grape Fruit Cerises
Consommé Bouquetière   Crème d'Orge
Boiled Salmon, Lobster Sauce
Tagliatellis, Genévoise
Roast Turkey, Cranberry Sauce
Baked American Ham, Madère
Cauliflower   Braised Yellow Squash
Boiled and Browned Potatoes
Salade Lorette
Peach Jelly   Assorted Pastries
Ice Cream with Wafers
Apples   Oranges   Grapes   Bananas   Pineapple
Rolls
Iced Tea and Coffee

R.M.S. Majestic
The World's largest liner

This large liner was built in Germany, and was handed over to Britain as part of war reparations after the First World War. The picture and the menu are printed on a letter-card posted on board ship.

The Singers had only recently returned home from a tour of twenty months, landing at Liverpool May 5, 1931. Then five weeks at home: a concert at The Pavilion, Colwyn Bay, and another one at Connah's Quay. They sailed from Southampton on June 10 on board R.M.S. Majestic, to start another tour of ten months. After a voyage of six days, the ship reached New York on June 16.

Thousand Islands N.Y.
Awst 6, 1931

Ar ôl glanio o'r *R.M.S. Majestic* yn Efrog
Newydd, yn ystod haf, 1931, rhoddwyd
ugeiniau o gyngherddau mewn tros
hanner cant o drefydd yn Nhalaith Efrog
Newydd.

Mae'r ynysoedd Thousand Islands yn
yr Afon St. Lawrence ar y ffin rhwng Yr
Unol Daleithiau a Chanada. Yno roedd
chautauqua, sef ysgol haf i roi addysg ac
adloniant. (Roedd y *chautauqua* yn
sefydliad poblogaidd iawn yn y Stêts cyn
dyddiau'r radio a'r teledu).

Aethant i ganu yno ar ddiwrnod yn
Awst, gyda cyngherddau yn y prynhawn
a'r hwyr yn y babell fawr a ddangosir yn y
lluniau.

Y babell fawr
The marquee

Thousand Islands N.Y.
August 6, 1931

*After landing from the R.M.S. Majestic in
New York, they gave, in the summer of
1931, concerts in over 50 towns in New
York State.*

*Thousand Islands are in the St. Lawrence
River, on the border between the U.S.A.
and Canada. A chatauqua — a summer
school to give education and entertainment
— was being held there. (The chautauqua
was a popular institution in the States before
the days of radio and television).*

*They came to sing on a day in August,
giving afternoon and evening concerts in the
marquee shown in the photographs.*

Y llwyfan
The stage

Will Rogers
Seren y Ffilmiau

Roedd y Cantorion yn canu mewn fodfil, oedd yn dra poblogaidd yn ninasoedd yr Amerig. Seren y fodfil yn y 20au oedd y comedïwr Will Rogers (1879-1935). Cwrddodd ef â'r Cantorion pan oeddynt ar yr un rhaglen. Yn y 30au roedd Will Rogers yn un o sêr y lluniau llafar yn Hollywood; hefyd yn awyrennwr amatur. Yn wreiddiol o Oklahoma (lle bu'r Cantorion aml i dro), roedd rhai o gyn-deidiau Will Rogers yn hannu o Gymru. Cafodd ei ladd yn 1935 mewn damwain awyren yn Alaska. Yn y llun, mae'n sefyll yn y canol. Tynnwyd y llun yn Newport, Vermont, pan oedd y Cantorion yn canu yno, Awst 22, 1931.

Will Rogers
Film Star

The Singers sang in Vaudeville, especially in the big cities of America. A leading Vaudeville star of the 1920s was the comedian Will Rogers (1879-1935). The Singers met him when they appeared on the same programme. In the 1930s Will Rogers became a leading Hollywood star of the talkies; and also an amateur aviator. A native of Oklahoma (where the Singers sang many times), Will Rogers was partly of Welsh ancestry. He was killed in 1935 in an air accident when the plane crashed in Alaska. In the picture, he stands in the middle. The picture was taken in Newport, Vermont, when the Singers sang there on August 22, 1931.

Elwyn Edwards, Tenor
yn y Dalaith Ohio

Ymunodd Elwyn Edwards â'r Welsh Imperial Singers pan oedd yn ifanc iawn. Roedd ei gartref yng Ngwersyllt, ger Wrecsam. Ei dad oedd Moses Edwards, arweinydd côr ieuenctid yn yr ardal.

Aeth Elwyn Edwards ar yr ail daith i Ogledd America yn 1929, ac roedd gyda'r Cantorion hyd 1934. Yna, teithiodd ym Mhrydain efo Parti Billy Manders yn rhoi adloniant ysgafn, ac yn aml iawn yn perfformio yn y Rhyl yn y 30au.

Mae'r llun yn dangos y cantor yn Lima, Ohio, ar Dachwedd 4, 1931, pan oedd y Cantorion yn canu yno. Roeddynt yn teithio drwy dalaith Ohio yn aml, ac un tro, yn y brifddinas Columbus, cawsant gyfarfod â Llywodraethwr Talaith Ohio. Yn Gomer, a'r capel Cymraeg yno, roedd 'na groeso mawr, ac roedd y Cantorion yn aros yng nghartrefi Cymry'r ardal.

Elwyn Edwards, Tenor
in the State of Ohio

Elwyn Edwards joined the Welsh Imperial Singers when he was very young. His home was in Gwersyllt, near Wrexham. His father was Moses Edwards, the conductor of the youth choir of the locality.

Joining the Singers in 1929 for the second North American tour, Elwyn Edwards stayed with them until 1934. He then toured Britain with Billy Manders, giving light entertainment. They often performed in Rhyl in the 1930s.

The picture shows the singer in Lima, Ohio, on November 4, 1931, when the Singers were singing there. They often toured the state of Ohio, and once, in the state capital, Columbus, met the Ohio State Governor. In Gomer, and the Welsh chapel there, they were given a great welcome, and the Singers stayed at the homes of the Welsh of the locality.

Elwyn Edwards
Tenor
1911 - 1987

Rhai o'i ganeuon:
Some of his songs:
"Let Me Like a Soldier Fall" (Maritana) (Wallace)
"Rock of Ages" (G. T. Llewelyn)
"My Prayer" (W. H. Squire)
"Sing Again" (Protheroe)
"Five and Twenty Sailormen" (Coleridge-Taylor)
"King of the Road am I" (Stewart)

69

Y Dakotas
Hydref - Rhagfyr 1931

Thomas A. Edison oedd y dyfeisiwr enwog a gyflwynodd y bwlb golau trydan cyntaf i'r byd. Bellach, roedd ef wedi marw. Ond mewn cyngerdd yn y Coleg Amaethyddol, Fargo, North Dakota, rhoddodd y Cantorion deyrnged mewn cân i Thomas A. Edison trwy ganu un gân yn y tywyllwch. Y gân oedd *"In the Sweet By and By"* allan o gasgliad Moody a Sankey, y trefniant gan y cerddor o Gymru (Ystradgynlais), Dan Protheroe (1866-1934), a oedd ar y pryd yn byw yn Chicago. Roedd hyn ym mis Hydref 1931.

Aeth y Cantorion i South Dakota hefyd. Ar y ffordd o Spearfish i Philip, cawsant ddiwrnod ofnadwy: dau deiar fflat, injian y bws yn torri a'r eira'n rhy ddwfn i fynd ymlaen. Ond wedi'r cwbl, roedd digon o wenau, fel mae'r ffotograff yn dangos.

The Dakotas
October - December, 1931

The electric light bulb was introduced by Thomas A. Edison, the famous inventor, who had died recently. In October, 1931, at a concert in the Agricultural College, Fargo, North Dakota, the Singers paid tribute in song to Thomas A. Edison by singing one song in darkness. The song, from the Moody and Sankey collection, was "In the Sweet By and By", arranged by the musician from Wales (Ystradgynlais), Dan Protheroe (1866-1934), who was at the time living in Chicago.

The Singers went to South Dakota too. On the road from Spearfish to Philip, they had a terrible day: two flat tyres, the bus broke down, and the snow was too deep for them to continue. But at the end of it all there were plenty of smiles as the photograph shows.

Harry Williams,Tenor
yn Florida
Ionawr - Chwefror, 1932

Ar ôl rhoi cyngherddau yn Kentucky, Tennessee, Alabama a Georgia, gan deithio yn eu bws ar hyd ffyrdd difrifol o ddrwg, aeth y Cantorion i Florida. Yno, roeddynt yn canu yn Lakeland, Plant City, St. Petersburg (Eglwys Bresbyteraidd), Barlow, Leesburg a Daytona Beach.

Mae'r llun yn dangos Harry Williams (ar y chwith), y tenor o Fethesda, yn Daytona Beach, o dan balmwydden efo Evan Morlais Wrench (bas). Roedd yn un o'r rhai cyntaf i ymuno â'r Cantorion yn 1926, a bu'n aelod tan 1933 ac roedd yn unawdydd poblogaidd iawn.

Harry Williams, Tenor
in Florida
January - February, 1932

After giving concerts in Kentucky, Tennessee, Alabama and Georgia, and travelling in their bus over very bad roads, the Singers went to Florida. There, they sang in Lakeland, Plant City, St. Petersburg (Presbyterian Church), Barlow, Leesburg and Daytona Beach.

The picture shows Harry Williams (on the left), the tenor from Bethesda, in Daytona Beach, under a palm tree with Evan Morlais Wrench, bass. One of the first to join the Singers in 1926, he was a member until 1933, and a very popular soloist.

Y Cantorion a'u bws
The Singers and their bus

Rhai o'i ganeuon:
Some of his songs:
"Blodwen fy Anwylyd" (Blodwen) (Joseph Parry)
"Deeper and Deeper Still" (Jeptha) (Handel)
"I'll Sing thee Songs of Araby" (Clay)
"Soft and Pure" (Martha) (Flotow)
"My Little Welsh Home" (Gwyn Williams)

"Annie Darlin" (Margery Watkins)
"That Little Room of Dreams" (S. Haigh)
"Bird Song at Eventide" (Eric Coates)

71

Rickard Macklin
Tenor

Un o Gaernarfon oedd y tenor Richard Macklin, wedi'i eni yn 1881 yn Llanllyfni. Roedd yn aelod o'r Cantorion rhwng 1926 a 1929 a bu'n teithio drwy wledydd Prydain ac unwaith yng Nghanada.

Roedd o deulu cerddorol. Ei frawd oedd Hughes Macklin, y tenor adnabyddus ym myd yr opera yn y 20au a'r 30au. Ei chwaer oedd y gantores Marie Macklin.

Mae llun y grŵp yn dangos Marie Macklin yn cyfarfod â'r Cantorion yng Ngogledd America tua Ebrill 1932. Yn sefyll (o'r chwith): Jabez Trevor, tenor; Henryd Jones, bariton. Yn eistedd (o'r chwith): Harry Williams, tenor; Marie Macklin; Norman Evans, cyfeilydd.

The tenor Richard Macklin hailed from Caernarfon, and was born in 1881 in Llanllyfni. He was a member of the Welsh Imperial Singers during 1926-1929, touring Britain and doing one tour of Canada.

He was of a musical family. His brother was Hughes Macklin, the well-known tenor of the operatic world in the 1920s and 1930s and his sister was the singer, Marie Macklin.

The picture of the group shows Marie Macklin meeting the Singers in North America about April, 1932. Standing (from the left): Jabez Trevor, tenor; Henryd Jones, baritone. Seated (from the left): Harry Williams, tenor; Marie Macklin; Norman Evans (accompanist).

Richard Macklin, tenor

72

HE WELSH IMPERIAL SINGERS ON BOARD
S.S. PRESIDENT HARDING
APRIL 17 1932

Ar y llwyfan gyda chapten y llong
On the stage with the ship's captain

Cyngerdd ar fwrdd
S.S. President Harding

Cynhaliwyd cyngerdd ar y fordaith adref, o Efrog Newydd i Plymouth, Ebrill 13-21, 1932, ar ôl y drydedd daith o ddeng mis yn yr Unol Daleithiau. Rhoddwyd elw'r cyngerdd i elusennau'r morwyr.

Concert on board the
S.S. President Harding

A concert was held during the voyage home from New York to Plymouth, April 13-21, 1932, after the third tour of ten months in the United States. The proceeds of the concert were given to seamen's charities.

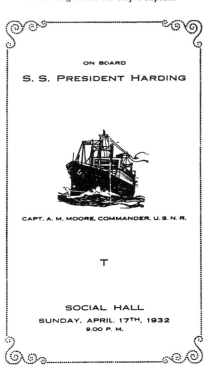

ON BOARD

S. S. PRESIDENT HARDING

CAPT. A. M. MOORE, COMMANDER, U. S. N. R.

T

SOCIAL HALL
SUNDAY, APRIL 17TH, 1932
9.00 P. M.

Howell G. Williams
Bariton/*Baritone*

Aelod o'r Cantorion rhwng 1928 a 1933, ac yn wreiddiol o Abergele. Yn y llun, mae'n sefyll ar y dde, gyda'r ddau denor, Watkin Edwards a Jabez Trevor. Roedd y tri yn ymweled â Mr Rees, 1350 North Lockwood Avenue, Chicago, tua 1931.

Member of the Welsh Imperial Singers, 1928-1933, and a native of Abergele. In the picture, he stands on the right, with the two tenors Watkin Edwards and Jabez Trevor. The three were visiting Mr Rees, 1350 North Lockwood Avenue, Chicago, c.1931.

Rhai o'i ganeuon:
Some of his songs:
"Invictus" (Bruno Huhn)
"Thou'rt Passing Hence" (Sullivan)
"Y Marchog" (Dr. Parry)
"Immortalis" (Edwin Walker)
"Harlequin" (Sanderson)
"Niagra" (Dr. Parry)
"Blow Thou Winter Wind" (Sargeant)

Howell G. Williams

S.S. Adriatic
Gorffennaf 1932

Hen long, fel yr *S.S. Baltic*, oedd hon, un o bedair llong a alwyd *The Big Four*. Hwyliodd o Lerpwl, Sadwrn, Gorffennaf 2, 1932. Gwelwyd fynydd rhew ar ddydd Iau. Cyngerdd nos Sadwrn. Galw yn Boston, Mass., ar y Sul. Glaniwyd yn Efrog Newydd, dydd Llun, am hanner awr wedi pedwar.

Ar y daith hon — y bedwaredd i Ogledd America — roedd y Cantorion yn canu mewn 13 o daleithiau, y rhan fwyaf o'r amser yn y Gorllewin Canol.

Ond erbyn 1933, roedd 13 miliwn, neu chwarter y gweithwyr, allan o waith yn yr Unol Daleithiau. Golygai hyn lai o waith i'r Cantorion hefyd. Daeth y daith hon i ben ar ôl chwe mis.

S.S. Adriatic
July 1932

The S.S. Adriatic, like the S.S. Baltic, was an old ship built in 1907, and was one of four known as "The Big Four". She sailed from Liverpool, Saturday, July 2, 1932. An iceberg was sighted on the Thursday. A concert was given Saturday evening. The ship called at Boston, Mass. on the Sunday, and landed at New York at 4.30 p.m. on Monday.

On this tour, the fourth to North America, the Singers sang in 13 states, most of the time in the Midwest.

But by 1933, there were 13 million, or a quarter of all workers, out of work in the United States, and so there was less work for the Singers. The tour came to an end after six months.

Dirwasgiad y Tridegau

Roedd y Cantorion yng Ngogledd America ar adeg y Gwaharddiad ar Ddiod, yn nyddiau'r troseddwr Al Capone, a Thrafferthion Wall Street 1929. Yn ystod blynyddoedd 1930-1933, aeth bron 9,000 o fanciau i'r wal, a chollodd miloedd eu harian. Un oedd Jabez Trevor, tenor. Collodd ei arian mewn banc yn Chicago — Banc Lake View State. Mae'r siec yn dangos ad-daliad o bump y cant.

The Depression of the Thirties

The Singers were in North America during Prohibition, the days of gangster Al Capone, and the Wall Street Crash of 1929. During the years 1930-1933, nearly 9,000 banks failed, and thousands lost their money. One was Jabez Trevor, tenor. He lost when the Lake View State Bank of Chicago collapsed. The cheque shows a repayment of a mere five per cent of his bank balance.

White Hall, Illinois
Awst 11, 1932

Yn nhref fechan White Hall, Illinois (poblogaeth: 3,000), ugain milltir o afon Mississippi, yn ystod y bedwaredd daith yn yr Unol Daleithiau. Mae'r Cantorion yn sefyll wrth gofgolofn i athrawes a roddodd ei bywyd i achub plant mewn tân yn yr ysgol lle roeddynt yn canu.

Fel rheol, mewn trefi yn y wlad, roedd y Cantorion yn rhoi cyngherddau i blant yn neuadd yr ysgol yn y prynhawn, ac un neu ddau gyngerdd yn yr hwyr i oedolion. Felly yn aml iawn roedd holl bobl yr ardal yn cael eu clywed. Roedd hyn mewn ugeiniau o lefydd, yn enwedig yn y Gorllewin Canol.

White Hall, Illinois
August 11, 1932

In the small town of White Hall, Illinois (population: 3,000), twenty miles from the Mississippi River, during the fourth tour of the United States. The Singers are standing near a memorial to a teacher who had given her life rescuing children in a fire at the school where they were singing.

Normally in country towns the Singers gave concerts for children in the school hall in the afternoon, with one or two evening concerts for adults. Thus very often all the people of the district were able to hear them. This happened in a large number of places, especially in the Middle West.

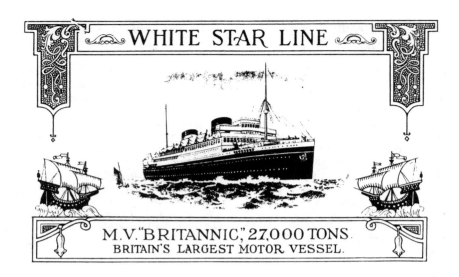

WHITE STAR LINE

M.V. "BRITANNIC," 27,000 TONS.
BRITAIN'S LARGEST MOTOR VESSEL.

Hwylio adref ar *M.V. Britannic* Ionawr 13 - 22, 1933

Llong newydd yn y tridegau oedd y llong fodur *Britannic*.

Ar ôl rhoi cyngherddau yn Detroit, Flint a mannau eraill yn Michigan, aeth y Cantorion gyda'u gyrrwr (Ffrancwr o Ganada) yn eu bws i ddinas Efrog Newydd i roi cyngerdd — yr olaf ar y daith — yn yr Eglwys Gymraeg yno. Hwyliodd y llong o Efrog Newydd ar ddydd Gwener, Ionawr 13, 1933, gan alw yn Boston, Mass. Cynhaliwyd cyngerdd ar y noson cyn galw yn Galway, Iwerddon. Drannoeth, cyrhaeddodd y llong ben ei siwrnai yn y Princes Landing Stage, Lerpwl, lle roedd llawer o berthnasau'r Cantorion yno yn eu cyfarfod.

Sailing home on the M.V. Britannic January 13 - 22, 1933

The motor vessel Britannic was a new liner in the 1930s.

After giving concerts in Detroit, Flint and other places in Michigan, the Singers journeyed in their bus with their French-Canadian driver to New York City to give a concert — the last of the tour — in the Welsh Church. The ship sailed out of New York on Friday, January 13, 1933, calling at Boston, Mass. A concert was held aboard on the evening before the call at Galway, Ireland. The ship arrived the following day at the Princes Landing Stage, Liverpool, where they were met by their relations.

Penderfynwyd gwneud ffilm gyda Paramount. . .

Ar ôl y bedwaredd daith yng Ngogledd America, penderfynwyd gwneud ffilm gyda Paramount — ffilm am Gymru, gwlad y gân, y bryniau a'r tywysogion. Roedd y Cantorion i fod i actio rhan chwarelwyr wrth eu gwaith. Roedd hyn yn y dyddiau pan oedd ffilmiau sain yn eu babandod. Ond aeth pethau o chwith o'r cychwyn cyntaf. Roedd Paramount yn brin o arian. Tywalltodd y glaw yn ddi-baid yn ardal chwareli Arfon. Protestiodd capelwyr Bethesda oherwydd eu bod yn ffilmio ar y Sul i geisio arbed amser a gollwyd oherwydd y glaw. Rhoddwyd y gorau i'r syniad a mynd yn ôl i deithio. Aed i Landudno a mannau eraill ar arfordir Cymru.

Mae'r camera lluniau byw o dan yr ymbarél
The movie camera is under the umbrella

The making of a movie for Paramount was planned. . .

After the fourth North American tour, the making of a movie for Paramount was planned — a film about Wales, the land of song, mountains and princes. The Singers were to take the part of quarrymen at their work. This was in the days when talkies were in their infancy. But filming was bogged down from the start. Paramount had a tight budget. The rain poured unceasingly and the good chapel people of Bethesda objected to filming on a Sunday to make up for lost time. The whole project was abandoned. So it was back into costume for concerts in Llandudno and other North Wales resorts.

Y Cantorion yn actio rhan chwarelwyr
The Singers taking the part of quarrymen

Llun arall o'r Cantorion yn y chwarel
Another picture of the Singers in the quarry

Roedd Henryd Jones (yn sefyll) yn canu
deuawdau â Jabez Trevor, tenor
Henryd Jones (standing), sang duets with
Jabez Trevor, tenor

Henryd Jones
Bariton/*Baritone*

O Henryd, ger Conwy, y daeth Henryd
Jones yn wreiddiol. Roedd yn aelod o'r
Cantorion rhwng 1929 a 1933, gan deithio
yng Ngogledd America dair gwaith.
Enillodd yr unawd bariton yn yr
Eisteddfod Genedlaethol, 1937. Canodd
gyda chantorion enwog megis Isobel
Baillie a David Lloyd.

Henryd Jones was a native of Henryd, near
Conwy, and was a member of the Singers
during 1929-1933, touring North America
three times. He won the baritone solo at the
National Eisteddfod in 1937. He sang with
famous singers like Isobel Baillie and David
Lloyd.

Rhai o'i ganeuon:
Some of his songs:
"Credo" (Othello) (Verdi)
"But Who May Abide" (Handel)
"Why Do the Nations" (Handel)
Prologue from "Pagliacci" (Leoncavallo)
"Sink, Sink, Red Sun" (Teresa Del
Riego)

Brake Schoolroom, Moss,
24th December, 1939.
TO COMMENCE AT 7-45 P.M.

Performance of Oratorio
"The Messiah"
(Handel)
BY THE
Broughton District Choral Society.

Conductor—
Mr. HYWEL CUNNAH.

Accompanist—
Mrs. TREVOR EVANS, L.T.C.L.

Organist—
Mr. TREVOR EVANS, A.R.C.O., L.R.A.M.

SOPRANO—
Miss GLADYS HESKETH, Todmorden, Lancs.

CONTRALTO—
Miss BETTY DAVIES, Rhos.

TENOR—
Mr. JABEZ TREVOR, Treuddyn.

BASS—
Mr. HENRYD JONES, Conway.

President—
HIS WORSHIP THE MAYOR OF WREXHAM
(Councillor JOHN DAVIES).

Programmes · · 1b. each.

Clawr y rhaglen y "Meseia", yn Moss, ger
Wrecsam, 1939, gyda Henryd Jones
yn canu bas
The cover of the programme of the "Messiah", in
Moss, near Wrexham, 1939, with Henryd Jones
taking the bass part

Trychineb Glofa Gresford
Medi 22, 1934

Hysbyseb o gyngerdd yn y Pafiliwn yng Nghaernarfon. Roedd hwn yn gyngerdd ynglŷn â Thrychineb Glofa Gresford, Medi 22, 1934. Lladdwyd 266 o lowyr yn y ffrwydriad a'r tân. Aeth chwarter o'r elw tuag at gynorthwyo cronfa'r drychineb.

Gresford Colliery Disaster
September 22, 1934

An advertisement for a concert at the Pavilion in Caernarfon. This concert was in connection with the Gresford Colliery Disaster, September 22, 1934. 266 colliers were killed in the explosion and fire. A quarter of the proceeds were devoted to the disaster fund.

THE PAVILION,
CAERNARVON

Sunday, October 14th, at 8-15 p.m.

FESTYN DAVIES
AND HIS RENOWNED
IMPERIAL SINGERS
OF WALES
BRITAIN'S GREATEST MALE ENSEMBLE.

PRICES.—3/6 (Reserved), 2/6, 2/-, 1/6 and 1/-. Seats may now be booked at Messrs. W. H. SMITH & Son, Caernarvon.

25% of the proceeds devoted to the
THE GRESFORD DISASTER FUND
(LOCAL COMMITTEE).

C336(1)O

Casglu arian at Gronfa'r Maer, Wrecsam
Collecting for the Mayor's Fund, Wrexham

Robert Vivian, Bas-bariton
Mordaith i Ogledd America 1938
S.S. Newfoundland

Hwyliodd y llong fechan *S.S. Newfoundland* (6,800 o dunelli) o Lerpwl yn 1938. Ar ei bwrdd yr oedd y Cantorion, yn mynd i Ganada a'r Unol Daleithiau, i deithio am ddeng mis — y bumed daith yng Ngogledd America, a'r olaf. Cynhaliwyd y cyngerdd cyntaf yn St John's, Newfoundland. Aethant ymlaen i Nova Scotia ac Ontario. Canodd y Cantorion yn Arddangosfa Canada yn Toronto. Wedyn croesi i'r Stêts.

Mae'r llun yn dangos grŵp ohonynt mewn "cartref oddi cartref" — ymysg y Cymry (yn nhŷ "Ma" Jones) yn Chicago. Y cyntaf ar y chwith (ar y blaen) yw Robert Vivian (yn canu o dan yr enw Vivian Aubrey), Porth, Rhondda. Roedd wedi bod yn canu am dymor efo Glyndebourne Opera. Wedyn, ar ddiwedd y daith, aeth yn ôl i Glyndebourne.

Robert Vivian, Bass-Baritone
Voyage to North America 1938
S.S. Newfoundland

The small liner S.S. Newfoundland (6,800 tons) sailed from Liverpool in 1938. On board were the Singers, going to Canada and the United States, to tour for ten months — the fifth North American tour, and the last. The first concert was held in St John's, Newfoundland. They continued to Nova Scotia and Ontario. The Singers sang at the Canadian Exhibition in Toronto. Then they crossed over to the United States.

The picture shows a group of them at "a home from home" — among the Welsh (the house of "Ma" Jones) in Chicago. The first on the left (front row) is Robert Vivian (singing under the name Vivian Aubrey) of Porth, Rhondda. He had sung for a season with Glyndebourne Opera. At the end of the tour, he returned to Glyndebourne.

Y daith olaf yng Ngogledd America 1938 - 1939

The last tour of North America 1938 - 1939

Dyma'r grŵp a aeth i Ogledd America,
1938-1939
*This is the group that went to North America
in 1938-1939*

Ar y blaen (o'r chwith):
Front row (from the left):
R. FESTYN DAVIES (arweinydd/*conductor*), Trawsfynydd; HANDEL WILLIAMS (tenor), Bedlinog; WATKIN EDWARDS (tenor), Rhosllanerchrugog; MELVILLE DAVIES (bas), Sir Gaerfyrddin; TOM BEVAN (tenor), Ferndale, Rhondda; EMLYN MORLEY (bariton), Aberdâr; EMLYN JONES (tenor), Llanelli.

Tu ôl (o'r chwith):
Back row (from the left):
WILFRED ATHERTON (cyfeilydd/*accompanist*), Caer/*Chester*; EDDIE WILLIAMS (tenor), Aberpennar/*Mountain Ash*; GEORGE LLEWELYN (bariton), Llanelli; JOHN WEYMAN WILLIAMS (bariton), Conwy; IEUAN BOWEN (tenor), Bedlinog; ARFOR ROBERTS (bariton), Bethesda; VIVIAN AUBREY (bas-bariton), Porth, Rhondda; EVAN MORLAIS WRENCH (bas), Garn Dolbenmaen; IVOR EVANS (bas), Abertawe/*Swansea*; ....?; WILFRED JONES (tenor), Bedlinog.

Dim ond pedwar oedd yn aelodau cyn 1938:
Only four were members before 1938:
Watkin Edwards
Arfor Roberts
Evan Morlais Wrench
Ivor Evans

Yn yr Unol Daleithiau
1938 - 1939

Yn ychwanegol at y cyngherddau yn y Dwyrain a'r Gorllewin Canol, canodd y grŵp 1938-1939 mewn taleithiau nad oedd y Cantorion wedi bod ynddynt o'r blaen, sef Utah, Idaho, Oregon, Washington State a Texas. Hefyd yn Washington D.C.

Roedd hon yn daith a oedd yn faich ar bob un ohonynt, gyda siwrneiau blin, afresymol o hir a hynny heb fod yn gwbl angenrheidiol; er enghraifft, teithio ddydd a nos yn eu bws, yn y dyddiau cyn bod ffyrdd modern, o Springfield, Illinois, i Ogden, Utah. Cawsant y profiad o fynd trwy luwchwyntoedd gaeaf ofnadwy yn y Rocky Mountains. Ond ar yr un pryd, gwelsant olygfeydd mawreddog.

Y cyfeilydd oedd Wilfred Atherton o Gaer, ond am ran o'r daith, roedd yn rhy sâl i gyfeilio. Cymerodd un o'r Cantorion — Vivian Aubrey — ei le.

Efo'u bws
With their bus

In the United States
1938 - 1939

In addition to the concerts in the East and the Midwest, the group of 1938-1939 sang in states where the Singers had not been before, namely Utah, Idaho, Oregon, Washington State and Texas. They were also in Washington D.C.

This was a tour that was most stressful to all of them, with extremely tiring journeys, unreasonably and unnecessarily long; for instance, travelling day and night in their bus, in the days before modern highways, from Springfield, Illinois to Ogden, Utah. They had the experience of going through terrible winter blizzards in the Rocky Mountains. But at the same time they saw the grandeur of the scenery.

The accompanist was Wilfred Atherton of Chester, but for part of the tour he was very ill. One of the Singers, Vivian Aubrey, took his place.

Rhywle in Tennessee
Somewhere in Tennessee

Emporia, Kansas
Rhagfyr 2, 1938

Wrth ddrws y Swyddfa'r Post yn Emporia, Kansas.

Mae'r dyn ar y dde, â bag arian yn ei law, wedi bod yn casglu'r derbyniadau'r dydd o'r Swyddfa'r Post. Yn ei warchod, mae'r dyn tal yn y canol, â'i wn yn barod yn ei law. Y tri arall yw tri o'r Cantorion, sef Eddie Williams (tenor - ar y chwith), Ieuan Bowen (tenor) a Vivian Aubrey (bas-bariton). Roeddynt yn ymweld â'r Swyddfa'r Post i gasglu llythyrau oddi cartref.

Yn Emporia, roedd y Cantorion yn canu mewn coleg athrawon. Cawsant groeso mawr oddi wrth y Cymry yn y dref hon, a hefyd, wahoddiad i gartref Anne Davies, yr Athrawes Gerddoriaeth ym Mhrifysgol Daleithiol Emporia.

Roedd y Cantorion wedi bod yn Emporia o'r blaen — ym 1932.

Emporia, Kansas
December 2, 1938

At the entrance to the Post Office, Emporia, Kansas.

The man on the right, with a money bag in his hand, has been collecting the day's takings from the Post Office. Guarding him is the tall man in the middle, with his gun at the ready in his hand. The others are three of the Singers: Eddie Williams (tenor) (on the left), Ieuan Bowen (tenor) and Vivian Aubrey (bass-baritone). They were visiting the Post Office to collect letters from home.

In Emporia, the Singers sang at a teachers' college. They received a great welcome from the Welsh of this town, and also, an invitation to the home of Anne Davies, the Professor of Music at Emporia State University.

The Singers previously visited Emporia in 1932.

Ivor Evans
Bas

Dechreuodd Ivor Evans ei yrfa broffesiynol efo'r Cantorion yn ystod 1933-1934. Ail-ymunodd â nhw i fynd ar y daith i Ogledd America, 1938-1939.

Enillodd ysgoloriaeth i fynd i'r Coleg Cerdd Brenhinol. Roedd yn brif fas efo Cwmni Opera Sadler's Wells; a hefyd efo D'Oyly Carte. Ef yw arweinydd y côr enwog, *The Ivor Evans Singers*. Mae yn athro yn y Coleg Brenhinol.

Roedd ei gartref yn Abertawe.

Ivor Evans
Bass

Ivor Evans started his professional career with the Welsh Imperial Singers during 1933 -1934, rejoining them for the North American tour of 1938-1939.

He won a scholarship to the Royal College of Music. Ivor Evans was principal bass with the Sadler's Wells Opera Company, and also with D'Oyly Carte. He is the conductor of the noted choir, The Ivor Evans Singers, and is a teacher at the Royal College.

His home was in Swansea.

The author Alun Trevor (on left) met the bass Ivor Evans in Llandudno; appropriately, at the Imperial Hotel

86

Cymysgedd

Damwain trên yn Nova Scotia: y peiriant yn disgyn o'r arglawdd ac yn cael ei daflu ar ei ochr, gyda'r gyrrwr a'r taniwr yn cael niwed difrifol. Ond roedd y Cantorion yn eu gwlâu mewn cerbyd tua chefn y trên. Ni chawsant ddim mwy na sioc.

Yn Picton, Ontario, clywodd David Morris, tenor, fod ei wraig wedi marw yn eu cartref yn Nhrawsfynydd.

Glyn Ceiriog: llywyddwyd y cyngerdd gan yr Arglwydd Howard de Walden yn y neuadd newydd.

Cyd-ddigwyddiad: ar ôl canu The Lost Chord, diffoddodd golau'r neuadd yn ystod cyngerdd yng Nghasnewydd (De Cymru). Yn St John's, Newfoundland, diffoddodd y golau eto — ar ôl canu The Lost Chord.

Nova Scotia: "Dyma'r diwrnod cyntaf i ni weld bustach yn gweithio fel ceffyl. . ." (Harry Williams, tenor).

Syrthiodd ffesant syfrdan drwy ffenestr y bws ar lin y gyrrwr, pan oedd yn trafaelio ar draws y prairie yn Nebraska.

Canodd y Cantorion yn yr Ystafell Aur yn y Stevens Hotel, Chicago.

Gêm bêl-droed, 1938: Academi Milwrol Culver, Indiana, O; Y Cantorion, 2.

Perthynas i Evan Morlais Wrench, bas, yw Morris Llewelyn Wrench, Youngstown, Ohio, arweinydd nodedig cymanfaoedd canu yng Ngogledd America, ac arweinydd corau.

St John's, Newfoundland: tra bu'r Cantorion yn dod allan o'r matinée, gwelsant fynydd rhew, yn anferth o faint ac yn cau ceg y porthladd.

Miscellany

A train accident in Nova Scotia: the engine fell down the embankment and was thrown on its side, with the engine-driver and fireman seriously hurt. But the Singers were in their beds in a coach towards the rear of the train. They suffered no more than shock.

In Picton, Ontario, David Morris, tenor, heard that his wife had died back home in Trawsfynydd.

Glyn Ceiriog: the concert in the new hall was presided over by Lord Howard de Walden.

Coincidence: after singing The Lost Chord, the hall lights went out during a Newport (South Wales) concert. In St John's, Newfoundland, the lights went out — again — after singing The Lost Chord.

Nova Scotia: "This is the first time we have seen an ox working like a horse. . ." (Harry Williams, tenor).

A stunned pheasant fell through the bus window on to the lap of the driver when they were travelling across the prairie in Nebraska.

The Singers sang in the Gold Room of the Stevens Hotel, Chicago.

A soccer match, 1938: Culver Military Academy, Indiana, O; The Singers, 2.

A relation of Evan Morlais Wrench, bass, is Morris Llewelyn Wrench, Youngstown, Ohio, the noted conductor of North American hymn-singing festivals, and also a conductor of choirs.

St John's, Newfoundland: as the Singers came out from a matinée, they saw a huge iceberg, like a mountain, in the harbour entrance.

Cofio Cantorion

Singers Remembered

Mae Gwyn Parri, Milwaukee, Wisconsin, yn cofio'r Cantorion yn canu yn yr Eglwys Bresbyteraidd Immanuel yn y ddinas honno.

Gwyn Parri, Milwaukee, Wisconsin, remembers the Singers singing at the Immanuel Presbyterian Church in that city.

> Clywodd Eric Stephen Jones y Cantorion yn Rhos, Wrecsam, ac yn Detroit.

> Eric Stephen Jones heard the Singers in Rhos, Wrexham, and in Detroit.

Mae Mrs M. D. Edwards, Treuddyn, yn cofio clywed y Cantorion yn Llandrindod.

Mrs M. D. Edwards, Treuddyn, Mold, remembers the Singers in Llandrindod Wells.

> Gwahoddwyd y Cantorion gan fam Gwen Barckley, Sun City, Arizona, i'w chartref. Yno roeddynt yn canu ac yn difyrru tan berfeddion nos.

> The Singers were invited by the mother of Gwen Barckley, Sun City, Arizona, to her home. There they sang and entertained into the late hours.

Pan oedd D. Hartwell Jones, y Rhyl, yn wyth oed, cerddodd bedair milltir gyda'i fam o Loc i Dreffynnon i glywed y Cantorion; ac wedyn, cerddodd adref.

When D. Hartwell Jones, Rhyl, was eight years old, he walked four miles with his mother from Lloc to Holywell, to hear the Singers; and then walked home again.

> Mae Mrs C. Thomas, Llanarmon Dyffryn Ceiriog, pan yn ifanc ac yn byw yn Nhrawsfynydd, yn cofio rhoi help llaw i gario'r cotiau cochion allan i'r haul lawer tro.

> Mrs C. Thomas, Llanarmon Dyffryn Ceiriog, when young and living in Trawsfynydd, remembers many a time giving a helping hand, taking the red coats out into the sun to be aired.

Clywodd Mrs M. W. Lloyd Jones, Bangor (Nanw Wyn Jones o Flaenau Ffestiniog) y Cantorion yn y Hippodrome, Sheffield.

Mrs M. W. Lloyd Jones, Bangor (Nanw Wyn Jones of Blaenau Ffestiniog) remembers the Singers at the Hippodrome, Sheffield.

> Mae D. Tecwyn Lloyd yn cofio'r Cantorion yn y Bala, gan ddotio at eu gwisgoedd lliwgar a'u moesgarwch ar y llwyfan.

> D. Tecwyn Lloyd remembers the Singers in Bala, and admiring their colourfulness and courteous manner on stage.

Mae Carice Williams, Riverside, Illinois, yn cofio rhai o'r Cantorion yn wahoddedigion yn ei chartref. Disgyblwr oedd yr arweinydd. Er mwyn ymweld â'i theulu heb iddo wybod, roedd rhaid iddynt ddianc o'r gwesty drwy ffenestr ac i lawr y grisiau tân!

Carice Williams, Riverside, Illinois, remembers the Singers as guests at her home. The conductor was a disciplinarian. In order to visit her family without his knowing, they had to escape from the hotel through a window and down a fire escape!

Yr Ail Ryfel Byd

Yn ystod yr Ail Ryfel Byd, teithiodd Jabez Trevor drwy Brydain gyfan, yn rhoi cyngherddau mewn ffatrïoedd rhyfel, o dan nawdd ENSA. Ef oedd yr unawdydd tenor gyda pianydd a thriawd llinynnol. Teithiodd rhwng Ebrill 1943 a diwedd y rhyfel yn 1945. Yn y llun, mae ef i'w weld ar y dde efo'r offerynwyr.

I ymweled â ffatrïoedd rhyfel, roedd yn angenrheidiol cael cerdyn adnabyddiaeth arbennig.

Y daith hon oedd ei ymrwymiad olaf fel cantor proffesiynol.

The Second World War

During the Second World War, Jabez Trevor toured throughout Britain, giving concerts in war factories, under the auspices of ENSA. He was the tenor soloist with a pianist and a string trio, touring between April 1943 and the end of the war in 1945. He is on the right in the picture taken with the instrumentalists.

To visit war factories it was necessary to have a special identity card.

This tour was his last engagement as a professional singer.

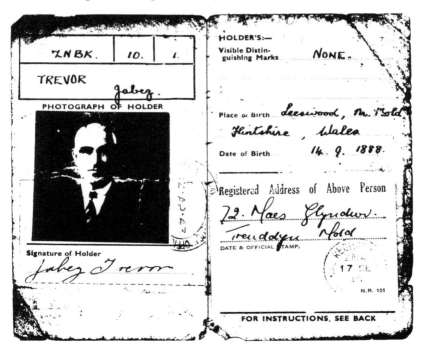

89

LEESWOOD & DISTRICT MALE VOICE CHOIR.

ERECTED TO THE MEMORY OF
T. G. JONES
FOUNDER AND CONDUCTOR OF THE
LEESWOOD AND DISTRICT MALE VOICE CHOIR
EFE A GEISIODD ALLAN EELYSTRA CERDD

The above Commemorative Tablet
will be unveiled
at the
COUNCIL SCHOOL, LEESWOOD,
on
SATURDAY EVENING, May 26th, 1951,
at 6 p.m.
by
TOM ROBERTS, Esq., Connah's Quay
(Choir Accompanist).

Programme   :   6d.

Y Cyngerdd Olaf
1951

Clawr rhaglen cyngerdd olaf Jabez Trevor yw hwn. Canodd "O Mistress Mine" (Quilter). Cynhaliwyd y cyngerdd yn Ysgol y Cyngor, Coedllai, lle roedd ef wedi bod yn ddisgybl. Cyngerdd oedd hwn er cof am ei hen brifathro ac arweinydd Côr Meibion Coedllai, T. G. Jones.

Hefyd yn rhoi unawdau, yr oedd dau arall o'r ardal, Peter W. Davies (tenor) a Jesse Roberts (bariton). Yn cyfeilio, roedd Tom Roberts. Clywodd y gynulleidfa hanes y côr oddi wrth Percy Parry, George Jones (Coed Talon) a J. E. Valentine.

The Last Concert
1951

This is the cover of the programme of Jabez Trevor's last concert. He sang "O Mistress Mine" (Quilter). The concert was held in the Council School, Leeswood, where he had been a pupil. This was a concert in memory of his old headmaster and conductor of the Leeswood Male Voice Choir, T. G. Jones.

Also giving solos were two others from the locality, Peter W. Davies (tenor) and Jesse Roberts (baritone). Accompanying was Tom Roberts. The audience heard an account of the history of the choir from Percy Parry, George Jones (Coed Talon) and J. E. Valentine.

Y Gân Olaf — Cysylltiad ar draws 68 o flynyddoedd: 1923 - 1991

The Last Song — A link across 68 years: 1923 - 1991

Y mae'r bas, Ivor Evans, yn cofio Jabez Trevor yn canu *"When Song is Sweet"* (Sans-Souci) fel encore ar ôl canu'r aria *"Vesti la giubba"*, o *"Pagliacci"* gan Leoncavallo. Roedd hyn pan oeddynt yn teithio ym Mhrydain efo'r Cantorion tua 1934. Recordiodd Jabez Trevor y gân hon pan oedd yn 79 oed, a darlledwyd hi ar y radio lleol, Sain y Gororau, ym 1989. Mae'r trosiad Cymraeg gan y diweddar R. Norman Williams, Gwernymynydd, ger yr Wyddgrug.

Mae'n addas iawn fod elw'r llyfr hwn yn cael ei gyflwyno i Eisteddfod Bro Delyn a gynhelir yn nhref yr Wyddgrug ym mis Awst 1991, gan mai yn ystod ymweliad diwethaf y "Genedlaethol" a'r dref hon yn y flwyddyn 1923 yr enillodd Jabez Trevor.

The bass Ivor Evans remembers Jabez Trevor singing"When Song is Sweet" (Sans-Souci) as an encore after the aria "Vesti la giubba", from Leoncavallo's "Pagliacci". This was when they were both touring Britain with the Singers, about 1934. Jabez Trevor recorded this song when he was 79, and it was broadcast on local radio, Marcher Sound, in 1989. The translation into Welsh is by the late R. Norman Williams, Gwernymynydd, near Mold.

The Bro Delyn National Eisteddfod will be held at Mold in August 1991. The proceeds from the sale of this book are in aid of the Eisteddfod's funds — appropriately, for it was during the last visit of the "National" to Mold, in 1923, that Jabez Trevor was a winner.

Pan fo'r Gân yn Bêr

Dim ond yn dy lygaid di gwelir glesni têr,
Ac wrth arllwys cân i ti bydd y seiniau'n bêr;
Haul a gwlith cusanu wnânt y rhosynnog lwyn,
Treidd pereiddiach sawr pan dŷf blodau er dy fwyn.
Glanach yw disgleirdeb lloer a ddisgyn ar fy mun,
Gweld dy wedd mewn breuddwyd rydd im' felysach hun;
Beth yw gweithred, llafur blin, cŵyn neu ddagrau'n lli?
Bywyd oll sy'n bêr, fy mun, pan 'rwyn byw i ti.

R. Norman Williams

When Song is Sweet

Skies are only bright and fair in your eyes of blue,
Song is only sweet my dear, when I sing of you.
Spring hath many a rose to wear, kissed of sun and dew,
They are only sweet my dear, when they bloom for you.

Moonlight rays are brightest dear when on you they beam,
Sleep is only sweet my dear, when of you I dream.
What the sigh, or what the tear, toil or deeds to do,
Life is only sweet my dear, when 'tis lived for you.

Gertrude Sans Souci

Yr Eisteddfod Genedlaethol, yr Wyddgrug, 1923
The National Eisteddfod, Mold, 1923

Rhan o boster 1926
Part of a 1926 poster

Y Cantorion
1926 - 1939

The Singers
1926 - 1939

The Singers
1926 - 1939

Arweinydd/Conductor
R. Festyn Davies (1870-1944) Trawsfynydd.

Tenoriaid/Tenors
Harry Williams (1891-1963) Bethesda.
Jabez Trevor (1888-1972) Treuddyn, Yr Wyddgrug/*Mold.*
Elwyn Edwards (1911-1987) Gwersyllt, ger Wrecsam/*Wrexham.*
Watkin Edwards Rhosllanerchrugog, ger Wrecsam/*Wrexham.*
Emrys Jones Penrhiwceiber.
Ernest Williams (1904-1960), Treffynnon/*Holywell.*
David Morris (-1938) Trawsfynydd.
Sam Lazarus Treherbert.
J. Eifion Thomas (1884-1954) Bangor.
John Lewis Tylorstown.
Ifan Gwilym Jones Coedpoeth, ger Wrecsam/*near Wrexham.*
Owen R. Owen (1894-1979) Trefriw.
David Walter Morris Llundain/*London.*
Richard Macklin (1881-) Caernarfon.
Emlyn Burns (-1963) Nantyffyllon.
Wilfred O. Jones (1912-) Bedlinog.
Tom Bevan Ferndale, Rhondda.
Handel Williams Bedlinog.
Rhys Evans Abertawe/*Swansea.*
Emlyn Jones (1908-1962) Llanelli.
Ieuan Bowen Bedlinog.
William Henry Parry (1898-1980) Glynceiriog.
Eddie Williams Aberpennar/*Mountain Ash.*
Dic Puw Williams (1902-1982) Aberangell.

Baritoniaid a Baswyr/Baritones & Basses
Howell G. Williams (1893-) Abergele.
Henryd Jones (1901-1968) Henryd, Conwy.
Jack Newbury (1902-1969) Abertawe/*Swansea.*
Evan Morlais Wrench (1905-1943) Garn Dolbenmaen.
Ulam Hughes (1902-1971) Y Ffridd/*Ffrith*, Wrecsam/*Wrexham.*
Robert J. Williams (1900-1971) Rhosgadfan.
Richie Griffiths Abermaw/*Barmouth.*
Wilfred Jones (1895-1952) Rhosllanerchrugog, ger Wrecsam/*near Wrexham.*
R. T. Williams (1900-) Penrhynside, Llandudno.
Tom Lloyd (1886-1958) Penbedw/*Birkenhead.*
Robert H. Williams (1900-1931) Trefriw.
Tom J. John Tylorstown.
Arfor Roberts (1902-1966) Bethesda.
Ivor Evans (1912-) Abertawe/*Swansea.*
John Weyman Williams (1916-1963) Conwy.
Robert James Owen (1878-1947) Trawsfynydd.
George Llewelyn Llanelli.
Emlyn Morley (Emlyn Smith) Aberdâr.
Vivian Aubrey (Robert Vivian) (1912-) Porth, Rhondda.
Melville Davies Caerfyrddin/*Carmarthen.*
Dafydd Roberts (1915-1989) Ysbyty Ifan.

Cyfeilyddion/Accompanists
George Lloyd Roberts (1902-1952) Rhiwlas, Bangor.
Norman Evans (1912-1937) Brynhyfryd/*Summerhill*, ger Wrecsam/*near Wrexham.*
Wilfred Atherton (1900-1942) Caer/*Chester.*

Ni chadwyd y parti gyda'i gilydd yn gyson rhwng 1926 a 1939. Er bod pob enw a restrwyd wedi canu am ran o'r cyfnod hwnnw, nid yw'r rhestr yn gyflawn. Rhoddwyd lle mwy blaenllaw i rai unigolion na'i gilydd yn y llyfr hwn dim ond oherwydd bod gwybodaeth a lluniau amdanynt wedi dod i law. Gwnaed ymdrech drylwyr dros nifer o flynyddoedd i gasglu'r deunydd gyda chymorth y wasg a'r radio yn ogystal ag ymchwilio mewn llyfrgelloedd ac archifdai. Ond mae'r stori ymhell o fod yn gyflawn. Mae'r ymchwil yn parhau. Efallai bod rhai cantorion na chanodd ond am gyfnodau byrion ddim wedi eu rhestru. Yn ogystal, mae'r llyfr hwn yn mynd â ni hyd at ddechrau 1939 a diwedd y bumed daith yng Ngogledd America. Gwyddys fod yr arweinydd yn cynllunio taith arall. Casglodd a hyfforddodd barti a pherfformiwyd ychydig o gyngherddau yn ystod haf 1939 cyn eu hymadawiad arfaethedig ym mis Medi. Ond, wrth gwrs, bu cyhoeddi'r rhyfel yn ystod y mis hwnnw yn fodd i chwalu'r parti hwn o gantorion proffesiynol. Yn ystod y rhyfel, deëllir i'r cyn-arweinydd ffurfio côr meibion lleol yn Nhrawsfynydd ac roedd y rhain yn arddel yr enw *Welsh Imperial Singers* ac yn gwisgo eu dillad llwyfan. Dim ond ychydig o berfformiadau a roesant ac ni fu gyda'i gilydd yn hir oherwydd amgylchiadau'r cyfnod o ryfel.

Buasai'r awdur yn ddiolchgar o dderbyn enwau eraill ac o gael benthyca unrhyw lun neu glywed am unrhyw atgof ynglŷn â'r Cantorion. Y mae prinder deunydd neilltuol am rai o gantorion De Cymru oedd yn aelodau o'r daith i Ogledd America yn 1938-1939. Buasai'r awdur yn falch o dderbyn hefyd mwy o wybodaeth am yrfaoedd canu'r unigolion cyn ac wedi eu cyfnod gyda'r Cantorion. Rhoesant, fel parti ac fel unigolion, lawer o bleser i filoedd o bobl. Cysyllter â'r awdur: 5 Windsor Court, Duke Street, Chester CH1 1RP Lloegr.

The group were not in continuous existence between 1926 and 1939. Though each name listed sang for part of that period, the list is not complete. Prominence has been given in the book to some individuals only because of the availability of both pictures and information. Considerable effort over a number of years has gone into making enquiries through the press and radio, and searching in libraries and archives. But the story is far from complete. The search continues. There may be a few singers not listed who served for only a short period. Also, this book takes the story up to early-1939 and the end of the fifth North American tour. It is known that the conductor was planning another one. He recruited and trained a group and gave a few concerts in the summer of 1939 before their proposed departure in September. But, of course, the outbreak of war early in that month brought this professional body of singers to an end. During the war, it is understood that the now retired conductor formed in his native Trawsfynydd a local male voice choir who wore the stage dress and were titled "Welsh Imperial Singers". They gave a few concerts. The choir was short-lived due to wartime conditions.

The author would be grateful for other names, and for any photographs or reminiscences about the Welsh Imperial Singers. There is especially a dearth of material about many South Wales singers who were on the 1938-1939 North American tour. The author would also like to know more about the singing careers of individuals before and after their time with the Singers. They gave, as a group and as individuals, so much pleasure to thousands.

Readers should write to: 5 Windsor Court, Duke Street, Chester CH1 1RP England.

Cydnabyddiaeth

Mae diolch yn ddyledus i lawer, ar ddwy ochr i'r Môr Iwerydd, am anfon lluniau, rhaglenni cyngherddau, dyddiaduron, llythyrau, teithlyfrau, rhestri aelodaeth, toriadau ac atgofion a wnaeth y llyfr hwn yn bosibl. Ymysg y rhain y mae tri o gyn-aelodau'r *Welsh Imperial Singers*: R. T. Williams (baritôn), Ivor Evans (bas) a Robert Vivian (bas-baritôn) — iddynt hwy, yn fwy nag i neb arall, llawer o ddiolch. Mae diolchgarwch yn ddyledus i olygyddion papurau newydd a chylchgronau yn y ddwy iaith, eto ar y ddwy ochr i'r Iwerydd, am gyhoeddi'r cais am wybodaeth, ac hefyd, yr un modd, i gwmnïau radio cenedlaethol a lleol. Detholiad yw'r llyfr hwn o holl faterion a anfonwyd mor haelionus. Diolchir yn gynnes iawn i Aled Lloyd Davies am ei help efo'r llawysgrif, ac yn wir, am yr awgrymiad o ysgrifennu'r llyfr hwn.

Rhoes y rhain eu caniatâd i ddefnyddio dogfennau:

Mrs Minnie Williams — "Pan Fo'r Gân Yn Bêr" gan R. Norman Williams, ar dudalen 91.

Archifdy Clwyd — y lluniau ar dudalennau 18, 20, 21, 27, 81 a 92; y rhaglen ar dudalen 15.

Gwasanaeth Archifau Gwynedd — yr hysbyseb ar dudalen 81.

The Frederick Harris Music Co., Ltd. (Oakville, Ontario, Canada) — "When Song is Sweet" gan Gertrude Sans-Souci, ar dudalen 91.

Acknowledgements

Thanks are due to the many people, on both sides of the Atlantic, who provided the photographs, concert programmes, diaries, letters, itineraries, membership lists, press clippings and reminiscences which made this book possible. Among them are three former members of the Welsh Imperial Singers: R. T. Williams (baritone), Ivor Evans (bass) and Robert Vivian (bass-baritone) — grateful thanks to them above all. Gratitude is also due to the editors of newspapers and magazines, both English language and Welsh, again on both sides of the Atlantic, who publicised the request for information. The same can be said of national and local radio. The book is a selection from the wealth of material so generously provided. Aled Lloyd Davies is warmly thanked for help with the text, and indeed for the suggestion in the first place that this book be written.

Permission from the following to reproduce material is acknowledged:

Mrs Minnie Williams — "Pan Fo'r Gân Yn Bêr" by R. Norman Williams, on page 91.

The Clwyd Record Office — the photographs on pages 18, 20, 21, 27, 81 and 92; the programme on page 15.

The Gwynedd Record Office — the advertisement on page 81.

The Frederick Harris Music Co., Ltd. (Oakville, Ontario, Canada) — "When Song is Sweet" by Gertrude Sans-Souci, on page 91.